SOMBRE PEUPLE

MARIE CHRISTINE **BERNARD**

SOMBRE PEUPLE

amÉrica

Hurtubise

Catalogage avant publication de Bibliothèque et Archives nationales
du Québec et Bibliothèque et Archives Canada

Bernard, Marie Christine, 1966-

Sombre peuple

(AmÉrica)

ISBN 978-2-89647-256-7

I. Titre. II. Collection: AmÉrica (Montréal, Québec).

PS8603.E732S65 2010   C843'.6   C2010-940029-1
PS9603.E732S65 2010

Les Éditions Hurtubise bénéficient du soutien financier des institutions
suivantes pour leurs activités d'édition:

• Conseil des Arts du Canada
• Gouvernement du Canada par l'entremise du Programme d'aide au
  développement de l'industrie de l'édition (PADIÉ)
• Société de développement des entreprises culturelles du Québec
  (SODEC)
• Programme de crédit d'impôt pour l'édition de livres du gouvernement
  du Québec

Maquette de la couverture: Olivier Lasser
Illustration de la couverture:
Graphisme: René St-Amand
Mise en page: Martel en-tête

Copyright © 2010, Éditions Hurtubise Inc.

ISBN 978-2-89647-256-7

Dépôt légal: 1er trimestre 2010
Bibliothèque et Archives nationales du Québec
Bibliothèque et Archives du Canada

Diffusion-distribution au Canada:
Distribution HMH
1815, avenue De Lorimier
Montréal (Québec) H2K 3W6
Téléphone: 514 523-1523
Télécopieur: 514 523-9969
www.distributionhmh.com

Diffusion-distribution en Europe:
Librairie du Québec/DNM
30, rue Gay-Lussac
75005 Paris FRANCE
www.librairieduquebec.fr

Imprimé au Canada

www.editionshurtubise.com

À mon père,
le plus grand conteur d'histoires
de toute la Baie-des-Chaleurs.

AVANT-PROPOS

Marginal, e, aux adj. et n. Se dit de qqn qui vit en marge de la société organisée, faute de pouvoir s'y intégrer ou par refus de se soumettre à ses normes. (*Petit Larousse illustré*, 2007)

Les marginaux font peur. C'est connu. C'est cette peur qui a conduit, de tout temps, des êtres humains à commettre toutes sortes d'atrocités. Fouettés par la terreur que nous inspire la dissemblance de l'autre, nous avons coupé des têtes, des doigts, des oreilles, des nez et des bijoux de famille ; nous avons torturé, humilié, insulté, mutilé. Nous avons tué, nous nous sommes fait tuer. Épurations, pogroms, génocides, purges, massacres — allez, tout le monde pareil, et que ça saute ! — témoignent éloquemment de notre soumission aveugle à la dictature de la norme. Spectaculaire, tout ça, oui. Mais il y a aussi des retombées plus insidieuses : pensons à cette jeune fille obsédée par son image au point d'en crever de faim, à ce garçon désespéré de ne jamais correspondre aux attentes de ses proches et qui se jette au fleuve, aux hommes et aux femmes qui courent toute leur vie après l'image d'eux-mêmes que leur renvoie le miroir du conformisme et qui se retrouvent épuisés, comprenant, mais trop tard, que non seulement ils n'y parviendront jamais, mais que, tout ce temps-là, ils n'ont rien vécu qui fût vrai.

Pourquoi cet affolement? Pourquoi la non-conformité nous met-elle à ce point mal à l'aise? Ne serait-ce pas parce que les marginaux nous ramènent justement à nos propres anomalies? Car, au fait, qui est marginal exactement? Et par rapport à qui?

Je n'ai pas insisté, dans ce livre, sur les marginaux notoires, tels les homosexuels, les handicapés, les fous. Ils ont leur place, nécessairement, mais ailleurs. Ici, j'ai cherché plutôt à examiner ces petites dissidences qui font de chacun d'entre nous, au fond, le marginal d'un autre. Il m'est apparu intéressant de scruter l'altérité banalisée, innommée, plus sournoise parce que moins exposée. Les ostracismes quotidiens dus à telle ou telle manière de ne pas être comme tout le monde sont autant de meurtrissures qui viennent souiller nos consciences. Et si nous sommes tous marginaux, nous sommes aussi tous complices de crime d'uniformité. Ne tenons-nous pas pour acquises certaines vérités pour réfuter les autres? Ne nous sommes-nous jamais retenus de suivre un élan du cœur par crainte de déplaire à la collectivité? N'avons-nous jamais ressenti cette solitude aiguë qui troue le cœur de l'étranger?

Dans son long poème «Réponse à un acte d'accusation» (*Les Contemplations*, 1856), Victor Hugo résume ce que devront retenir ses lecteurs de la fonction du poète: «Avoir un peu touché les questions obscures, / Avoir sondé les maux, avoir cherché les cures, / De la vieille ânerie insulté les vieux bâts». Je suis assez d'accord avec lui, et c'est pourquoi j'ai tiré du même texte le titre de ce recueil; cependant, chez Hugo, le «sombre peuple» en question est celui des mots, qui sont les outils grâce auxquels l'auteur fouaille les recoins ombreux de l'âme humaine pour tricoter ses histoires. Mais je crois que l'on peut coiffer aussi de ce titre le cortège bigarré des exclus, ordinaires ou non, qui habitent ces pages. Les treize histoires qui suivent, parfois drôles, parfois tragiques, mettent en scène différentes facettes d'un sujet qui m'interpelle profondément. Ces histoires voyagent dans le temps et l'espace, entre la France du XVIe siècle et le Québec du XXIe, en passant par les Provinces maritimes du XIXe et la Gaspésie des années 1930. On y observe que la différence dérange toujours, partout, et fait de ceux qui la portent des êtres, sinon invariablement honnis, du moins inévitablement suspects.

Et pourquoi treize histoires? Parce que ce chiffre fait peur pour rien. Comme les marginaux.

Larouche, octobre 2009

MOTS CROISÉS

Ils ne se voyaient que dans la cage d'escalier. Au moins une fois par jour. Le plus souvent, deux.

Le matin, il sortait sur le palier pour saisir son exemplaire du *Devoir* et il entendait sa voix mielleuse — celle qu'elle ne destinait qu'à son sale cabot, un vieux chihuahua borgne qui sentait la viande un peu trop faisandée.

— Viens-t'en, mon Totoche, monte les marches, c'est ça. Beau ti-chien.

Il recevait l'odeur du chien bien avant de les apercevoir, tous deux peinant également sur les marches étroites. Bon sang, qu'il puait. Vraiment. Une charogne. Dès qu'ils arrivaient à portée de truffe, la bête avisait de son œil unique l'homme penché sur le paillasson et partait la machine. Il lançait d'abord un long grognement sourd, qu'on eût dit venir bien plus du ventre d'un monstre de film japonais que de celui d'un chihuahua. Il fallait avouer tout de même qu'il avait du coffre, ce cabot. Puis, arborant un rictus ridicule, mais dont le but était d'effrayer son ennemi, il se mettait à aboyer avec une haine convaincue.

Salomon Cohen se dépliait, jaugeait les deux crétins, la bonne femme et sa pustule à poils, et rentrait chez lui, son journal à la main.

L'après-midi, il se rendait au café du coin pour bavarder un peu avec d'anciens collègues retraités, comme lui. Il la recroisait dans l'escalier, sans son monstre de pacotille, un cabas à la main. Elle rentrait de faire ses courses en marmonnant invariablement des commentaires négatifs sur le temps qu'il faisait. Lui, il la saluait toujours poliment. C'était un homme qui avait des manières.

— Bonjour, madame Gagnon.

— Maudit temps de chien.

Et ça s'arrêtait là. Qu'il pleuve, qu'il vente, qu'il neige, que le soleil brille à plein ciel, c'était toujours un maudit temps de chien. « C'est votre humeur, madame, qui est de chien ! » aurait eu envie de lui dire Salomon. Mais il était trop bien élevé pour cela. Raffiné, même. Jamais il n'aurait osé lui faire remarquer, par exemple, que cette robe qu'elle semblait affectionner puisqu'elle la portait presque tout le temps ne lui allait pas du tout. C'était affreux, cette robe. Trop gros l'imprimé, trop criardes les couleurs, trop grossière la coupe. Et la matière, on n'en parlait même pas, de la matière. Un autre beau produit dérivé du plastique qui favorisait le développement des remugles de sueur séchée. Pauvre femme. En s'arrangeant un brin, elle aurait pourtant pu être regardable.

Lui, Salomon, il n'accordait pas à son allure extérieure plus d'attention qu'il n'en fallait — il n'était pas une de ces femmelettes —, mais au moins il choisissait des vêtements sobres, bien coupés, et qui ne lui faisaient pas de bourrelet à la taille. Il prenait toujours la peine de se peigner avant de sortir de chez lui. Ce n'était pas comme elle, les cheveux toujours attachés à la diable, même pas teints, parfois même gras. Comment pouvait-on vivre dans un tel laisser-aller?

Il n'avait jamais mis les pieds chez elle — que Dieu l'en préserve! —, mais il imaginait assez aisément l'intérieur d'une telle virago. Table et comptoirs de cuisine en formica brun, armoires de contreplaqué, tapis imprégnés de relents de chien, canapé beige recouvert d'un jeté d'une propreté douteuse. Un set de chambre à coucher des années 1980 en mélamine noire assorti aux murs lilas. Une télé allumée toute la journée sur des sourires débitant des inepties rassurantes. La radio parfois, ou même un CD, pourquoi pas, un CD de Céline Dion ou autre brailleuse du genre. Les murs blancs ornés de posters laminés représentant des visages de femme aux yeux d'émeraude sur fond noir, encore dans le goût des années 1980. Sur la porte du garde-manger un calendrier avec des photos de chiots. Et sur le feu, une marmite de ragoût, un pâté chinois dans le four, du macaroni à la viande, une sauce à spaghetti aux carottes et à l'eau. Et dans l'air un mélange de Monsieur Net au citron et de chandelle parfumée à la lavande chimique.

Chez lui, tout était d'une impeccable simplicité. Au fil des ans, il avait acquis un certain nombre de meubles antiques qui donnaient à son appartement du Vieux-Chicoutimi un petit cachet faisant un élégant rappel de la vue sur le fjord ponctuée de clochers et clochetons. Quelques œuvres originales d'artistes — locaux mais bien cotés — ornaient ses murs coquille d'œuf. Il avait lui-même poncé et verni les planchers en frêne de l'appartement. Dans un coin, près de la fenêtre qui donnait sur le fjord, il avait installé son bureau, avec son portable, ses dictionnaires, les ouvrages de référence qu'il consultait le plus souvent. Tout un côté du salon était occupé par des rayonnages peuplés de grands noms : Kierkegaard, Nietzsche, Kant, Hobbes, Platon, Aristote, Schopenhauer, Alain... Peu de romans, ou alors des incontournables : Gide, Malraux, France. Une collection impressionnante de vinyles, tous des enregistrements mémorables de grandes œuvres classiques, surmontait une chaîne audio haute-fidélité entretenue avec dévotion, le tout posé dans un bahut ancien aménagé à cette fin.

Salomon Cohen était un professeur de philosophie réputé, maintenant retraité de l'université. Il arrondissait son fonds de pension en publiant régulièrement, dans des revues spécialisées, des articles sentis sur la pensée occidentale actuelle. Il rencontrait au café des intellectuels comme lui, qui citaient les grands penseurs de mémoire et qui réfléchissaient de façon professionnelle, des gens dont c'était le métier de réfléchir. Il en fallait. Mais oui. La philosophie n'était pas morte avec Socrate. Toutes les époques, tous les lieux avaient leurs penseurs. Lui et ses camarades du café constituaient le noyau des penseurs actuels de la région. Il leur arrivait d'écrire des lettres ouvertes aux journaux. Lui-même, Salomon, tenait un blogue sur Internet, un blogue qui était lu et cité par d'autres blogueurs, qui étaient à leur tour lus par de nombreux internautes.

Sa voisine, la grosse épaisse avec son chien, est-ce qu'elle savait seulement ce que c'était que la philosophie? Elle devait se faire bourrer le crâne par la télé populaire avec tous ces modèles de prêt-à-vivre que proposaient les gourous modernes qui polluaient l'air du temps à grand jets de: mangez ceci et non cela, pensez positif, il n'y a pas de hasard, demandez à l'univers, donnez au suivant… Pffff. Du manger mou pour cerveaux édentés. Lui, son travail, c'était du solide, attention, il fallait de la culture pour comprendre, pour saisir, pour suivre le fil aiguisé de sa réflexion. Dernièrement, tiens, il avait fait paraître un article sur la fin du monde telle que la concevait la psyché vulgaire moderne. Cela s'intitulait: «Eschatologie populaire: essai sur la pensée apocalyptique sous Jacques Tremblay». Le Jacques Tremblay en question, maire de Chicoutimi, n'aurait évidemment compris que dalle à cet article, étant donné qu'il n'était que notaire de formation. En plus, il militait encore pour la prière en début d'assemblée municipale, affirmait aller à confesse régulièrement, clamant qu'il n'était pas question qu'il prenne le risque de se présenter devant Dieu sans être absolument certain d'avoir l'âme propre. Le pauvre! Mais une bonne partie de la population partageait ses convictions religieuses. C'était ce qui avait amené Salomon à réfléchir sur la façon dont les gens de sa région, aujourd'hui, percevaient la fin du monde. Il n'avait bien entendu pas fait d'enquête. Ça, c'était le travail des sociologues. Il avait lu les éditoriaux du *Dimanche-Action* et les billets de l'ancien ministre souverainiste recyclé en pamphlétaire de droite. Puis aussi les colonnes du chroniqueur de chasse et pêche et celles de la... on ne savait pas trop d'où elle sortait celle-là, la bonne femme qui publiait ses humeurs de ménagère un dimanche sur deux. C'était suffisant pour donner une vue d'ensemble. Ensuite, il n'avait eu qu'à appliquer les théories des grands philosophes sur ses propres observations. Voilà! Déjà, dans le milieu, cet article lui avait valu quelques éloges. Remarquez, un maire comme Jacques Tremblay, tout droit sorti d'un film de Pagnol, c'était du bonbon pour philosophes.

C'était ce que se disait Salomon en revenant de la librairie, où il était allé faire son emplette honteuse, ainsi qu'il appelait en lui-même l'achat qu'il faisait chaque année, autour de la même date. Jamais il ne l'aurait avoué à personne, cet achat annuel. Lui, l'intellectuel de haute voltige, s'il avait fallu que son péché mignon fût connu dans le milieu : on l'eût cloué au pilori en moins de deux. Juste à y penser, il serrait frileusement contre lui le petit sac réutilisable qui contenait son précieux butin. Il longea le pâté de maisons en rasant le mur comme un voleur, espérant ne pas rencontrer son haïssable voisine dans l'escalier. Elle lui déplaisait tellement que son intrusion dans ce bonheur, celui de tenir entre ses mains l'objet de son péché à venir, gâcherait inévitablement une partie de son plaisir. «Pourvu que je ne la rencontre pas, pourvu que je ne la rencontre pas», se répétait-il comme une incantation.

Il se délectait à l'avance des heures de plaisir — si courtes — qu'il allait s'octroyer cette fin de semaine. En arrivant chez lui, il se ferait un bon Darjeeling, il ferait jouer le *Requiem* de Mozart enregistré par le London Symphony Orchestra, puis il déballerait son cadeau et irait s'asseoir dans son chesterfield, près de la grande fenêtre. Et là, enfin, il se plongerait dans le dernier Rose Dulac qu'il avait attendu toute l'année, toute l'année depuis qu'il avait lu le précédent. Il en était ainsi depuis huit ans, depuis qu'il était tombé par hasard sur le premier. Pourquoi tant de ferveur et de honte à la fois, se demandera-t-on ?

Eh bien ! cette Rose Dulac, elle écrivait des romans d'amour. Des romans à l'eau de rose. Des romans où les sentiments dégoulinaient de toutes les pages, où il était question d'orphelines courageuses et de voyous ténébreux vivant des aventures rocambolesques, des enlèvements par des pirates, des attaques de bandits de grands chemins. Des romans grâce auxquels le grand intellectuel Salomon Cohen pouvait laisser bercer son cœur sevré d'amour, desséché par toute une vie de rationalité. Des romans écrits avec juste assez de verve, juste assez de maîtrise, juste assez de naïveté pour qu'on s'y laisse glisser comme dans un bain chaud et parfumé, et qu'on oublie le reste. Des romans parfaits.

On comprend ainsi pourquoi, au moment de monter l'escalier qui menait à son appartement, l'illustre philosophe serrait si fort son sac contre son cœur. Il battait, d'ailleurs, son cœur, il battait comme pour un rendez-vous amoureux. Et c'en était un, dans le fond.

Comme il allait entamer le dernier palier, il entendit la porte de la voisine. Presque aussitôt, l'effluve canin le saisit à la gorge. La voix mielleuse descendit jusqu'à lui.

— Vite, vite, vite, mon Totoche ! Faut que maman aille au bureau de poste avant que ça ferme !

Cavalcade dans l'escalier. Le chien vit Salomon, stoppa net et partit sa machine. Tout se passa extrêmement vite. La maîtresse, emportée par sa course et empêchée de se retenir à la rampe par le paquet qu'elle tenait dans une main — l'autre main étant occupée par la laisse du chien —, se prit les pieds dans la longe et bascula sur Salomon, qui ne réussit pas à s'écarter à temps. Ils roulèrent tous les deux dans l'escalier, Totoche à leur suite, à moitié étranglé par son collier.

La chute les entraîna au rez-de-chaussée, devant la porte. Confus, ils se relevèrent précautionneusement, vérifiant qu'ils n'avaient rien de cassé. Salomon avait le derrière sur le paquet de sa voisine. En le saisissant pour le rendre à la bonne femme, il lut machinalement ce qui était écrit sur le papier kraft, mu par cet automatisme propre à tout lecteur invétéré. Puis, il réalisa ce qu'il contenait. Il suspendit son geste, incrédule. Relut l'enveloppe. Ce n'était pas possible. Pas elle.

Pendant ce temps, madame Gagnon avait, de son côté, ramassé le livre de Salomon, qui était tombé de son sac. Elle aussi semblait frappée de stupeur. Au lieu de le tendre à son voisin, elle contemplait la couverture montrant une jeune femme vêtue de dentelles déchirées qui fuyait un homme au visage cruel, et qui était coiffée du titre : *La Fureur de l'amour*. Ils échangèrent un long regard, le premier véritable regard jamais partagé entre eux depuis toutes ces années de voisinage. Puis, sans un mot, madame Gagnon tendit lentement à Salomon son livre. Lui, en échange, lui donna son paquet. Ils restèrent un moment l'un en face de l'autre, immobiles, comme deux adolescents qui ne savent pas comment se dire qu'ils s'aiment. Ils se sourirent timidement. Puis la femme brisa le charme.

— Il faut que j'envoie ça aujourd'hui, dit-elle. Excusez-moi. Viens, Totoche.

Et elle sortit, son chien à sa suite, emportant cet envoi qui portait l'adresse d'un éditeur et dont le nom de l'expéditeur était Rose Dulac.

LE PORTRAIT

Faut-il éternellement souffrir
Ou fuir éternellement le beau?

Charles Baudelaire

Lyon, automne 1608

Cela s'est passé au printemps 1589. Je m'en souviens très bien : c'était quelques mois avant la mort
d'Henri III. Depuis, la Saône a porté bien des
bateaux ; je suis presque un vieil homme, maintenant. Et pourtant le souvenir de ces événements
qui bouleversèrent ma vie demeure vivant, lanci-
nant, tels ces songes qui reviennent vous hanter
tout le jour.

Depuis longtemps, je voulais aller dans cette
ville. Je connaissais depuis l'enfance, par les récits
des voyageurs de passage, sa réputation : on venait
de partout pour y acheter des soieries, sa foire attirait du monde de tous les royaumes d'Europe et
même de plus loin ; c'était là que les artistes allaient
mûrir et faire éclore leurs talents. Lyon m'attirait
comme elle attire encore tous ceux qu'attire la vie,
la vraie, celle qui bouge et qui bruit. De toute façon,

j'avais toujours eu le goût du voyage, et la position d'estafette que j'occupais alors me servait assez bien. Cependant, les troubles qui secouaient le pays m'avaient jusqu'alors empêché de m'aventurer trop loin de ma Bretagne natale.

Pourtant, cette année-là, j'eus enfin l'occasion de partir visiter cette ville tant rêvée. Je servais alors, avec ma femme Pernelle, chez un seigneur breton, grand amateur de choses anciennes, qui avait décidé de profiter de la période de calme relatif qui avait suivi l'assassinat du duc de Guise pour m'envoyer à Lyon, chez un peintre de ses amis, afin de faire restaurer un précieux livre d'heures qu'il tenait d'un ancêtre croisé. Seul cet homme, disait mon maître, possédait encore les secrets des enlumineurs d'antan. De peur qu'un goujat ne profitât de mon absence pour la séduire, je pris le parti d'emmener ma femme avec moi.

Nous partîmes donc par un frais matin d'avril, avec un viatique bien garni et deux bons chevaux que mon maître nous prêtait pour l'occasion. Le soleil déjà haut brillait de tous ses feux. Après plusieurs jours de route, pendant lesquels nous traversâmes le Maine, la Touraine, le duché de Bourbon et une partie du Forez, nous arrivâmes enfin dans le Dauphiné. Lyon était telle qu'on me l'avait décrite : rose, blanche et dorée, avec ses toits rouges qui semblaient habiller depuis toujours les rives du confluent millénaire. J'y entrai un peu comme un enfant vient au monde, un pleur dans la gorge, et les yeux éblouis par cette lumière indicible qui, sublimée par les brumes, semblait fuser de partout à la fois. Nous devions nous rendre dans le quartier Saint-Paul où, au coin de la rue Juiverie, était sise l'échoppe du peintre.

Déjà, sur le pont qui traversait la Saône, nous pouvions entendre les cris pittoresques des marchands qui étalaient leurs inventaires sur les quais :

— Gros fagots ! Seiches bourrées !

— À mes bons navets ! Navets !

— Chicorée ! Chicorée !

— Argent de mes gros ballets !

— Noir à noircy ! Couvercle à lessive !

— Peignes de bouys, gravele, graveleau !

— Beaux marrons à l'escaille vive !

— Chaudronnier ! Qui est-ce qui veut de l'eau !

J'étais en proie à une excitation fébrile. Au bord de la large rivière s'étalaient des maisons aux pierres veinées de rose, avec des tourelles gracieuses et des bas-reliefs ornant leurs façades. Je savais, pour l'avoir ouï dire, que ces riches demeures et celles qui étaient en construction prenaient leurs modèles à Florence, cette ville fastueuse à la splendeur inégalée. En amont de la grande primatiale Saint-Jean, qui nous tournait le dos, nous trouvâmes l'église Saint-Paul dont le clocher veillait sur le quartier des commerçants. Nous nous rendîmes sans peine à la boutique du peintre, dont l'enseigne affichait : *Aux belles couleurs*. Une foule de gens bien vêtus entraient et sortaient de l'échoppe. Pernelle, aussi excitée que moi, me fit remarquer que cet artisan, Renaud, devait être assez prospère.

Celui-ci, fort affairé, envoya son apprenti s'oc- cuper des chevaux et nous pria d'aller l'attendre dans l'arrière-boutique qui constituait à la fois l'ate- lier et le logis de l'artiste. La pièce était de fort belle dimension. Dans la grande cheminée, un chaudron de fonte pendait à la crémaillère ; sur le manteau étaient accrochés poêlonnes, cuillers à remuer, tran- choirs et couteaux ; les écuelles s'empilaient, à côté des hanaps, sur une petite étagère. Une confortable paillasse était disposée près du foyer. Entre le lit et une porte qui donnait sans doute sur la cour se trouvait un imposant coffre de hêtre, qui devait contenir les effets personnels de notre hôte. Une petite table, trois chaises et un bahut formaient le reste de l'ordinaire. Le côté ouest de cette pièce était presque entièrement occupé par un immense établi, garni d'innombrables pinceaux, stylets, com- pas, pots et fioles renfermant toutes sortes d'huiles et de pigments.

Il vint enfin, vers l'heure des vêpres, après avoir fermé boutique et donné congé à son apprenti. Comme il s'excusait de n'avoir point de quoi nous offrir à souper, Pernelle proposa de préparer un repas avec ce qu'il nous restait de provisions : nous avions pris soin d'emporter avec nous quelques pâtisseries[1]. Renaud se tourna vers elle pour la remercier.

---

1. Pâtés, viandes en croûte.

Et c'est à ce moment que tout a vraiment commencé.

Il me faut vous dire que ma jeune épouse était très belle. Elle possédait ce teint éclatant, lumineux, qu'ont à quinze ans les filles de Bretagne. Sa peau blanche et rose eût fait le désespoir des dames de la cour si elle eût été autre chose que l'épouse d'un serviteur. Une épaisse chevelure brune encadrait son visage sans défaut, retenue en nattes par des rubans de couleur. Des yeux bleus et rieurs, un sourire irrésistible et des mains gracieuses comme des colibris complétaient un ensemble d'une rare perfection. Et puis, la femme de notre seigneur tenait à ce que ses suivantes fussent bien vêtues : Pernelle portait ce jour-là une basquine de drap rouge brodée de soie écarlate et des manchettes godronnées ; une petite fraise ornait son joli cou. Cet habit aux couleurs chaudes, un peu démodé, lui donnait l'air d'une petite fée sortie tout droit de l'une de nos légendes bretonnes.

Les hommes sont ainsi faits qu'ils croient posséder ce qu'ils aiment : j'en étais jaloux comme un avare de son or.

Je vis donc avec une grande appréhension le visage de notre hôte changer à la vue de la gracieuse enfant. J'avais déjà vu certains invités à la table de mon maître regarder ainsi défiler les faisans rôtis. Ses yeux prirent un éclat gourmand ; il la détailla de la tête aux pieds, exactement comme les

chasseurs évaluent la qualité d'un gibier fraîche-
ment dépecé.

Je me mis entre ma femme et l'homme et annonçai, avec une colère mal contenue, ce pourquoi
notre maître nous envoyait, et que cela devait se
faire assez vite. Je regrettais déjà d'avoir, mû par
cette stupide jalousie, emmené Pernelle avec moi.

Renaud se reprit, jeta un coup d'œil au livre
que je lui avais mis un peu brusquement sous le
nez.

— Ton maître me fait honneur, murmura-t-il, ce
livre est un véritable trésor. Je m'y mettrai demain,
avec plaisir.

L'après-souper se passa tranquillement. Je ne
cessais de bavarder, pire qu'une femme, sans doute
dans l'espoir de captiver l'attention de Renaud, qui
n'avait d'yeux que pour Pernelle. Celle-ci s'en fut
se coucher de bonne heure à la mansarde, où le
peintre nous avait fait monter de la paille et des
couvertures.

Il parut presque soulagé du départ de ma femme
et manifesta tout à coup un vif intérêt pour mes
propos. Nous parlâmes de tout et de rien. Mon maître et lui avaient été écuyers ensemble sous
Charles IX. Né lui aussi d'une famille noble, il n'avait
pourtant pas complété sa formation de chevalier.

— L'appel de l'art fut le plus fort, me confia-t-il.
J'ai préféré venir ici, dans le Dauphiné, où l'on ne
me connaissait guère, pour pouvoir exercer mon
métier.

Il s'était converti à l'Église réformée qui, disait-il, répondait mieux à sa conception de Dieu et des Écritures. Lyon, qui accueillait chaque année pour sa grande foire une foule d'étrangers, était une ville où l'on pouvait pratiquer assez librement n'importe quelle religion, à condition bien sûr de ne pas trop l'afficher.

— Mais, soupira le peintre, les gens du quartier où je vis montrent plus de tolérance envers les juifs qu'envers les chrétiens de l'Église réformée !

Il préférait aux enluminures la peinture sur panneau, mais, quoique la demande fût assez forte, cet art était soumis à certaines règles très strictes. Ne pouvant laisser libre cours à son imagination, tout au plus exécutait-il quelques commandes de portraits ou de scènes d'inspiration religieuse pour des gens nobles ou de riches bourgeois. Il se refusait à emboîter le pas aux humanistes et à recopier pour la énième fois les mêmes sujets mythologiques ; il voulait qu'on le reconnût pour ce qu'il était, et non qu'on le comparât toujours aux maîtres italiens. Il parlait d'une peinture nouvelle qu'on faisait dans le Nord, du côté des Flandres, et qui prenait pour sujets des scènes de la vie réelle, des personnes simples. C'était ce qu'il voulait faire aussi. Il m'offrit un peu de vin du Beaujolais et nous bûmes un moment en silence.

Je profitai de ce répit pour l'observer à la dérobée. Il devait avoir trente-cinq ans. Ses cheveux, encore tout noirs, tombaient sur ses épaules en riches boucles ondoyantes. Il avait des gestes précis, des gestes d'artiste : le moindre de ses mouvements paraissait parfaitement calculé. Ses yeux noirs, incisifs, semblaient voir jusqu'aux tréfonds de votre âme. Son nez long et droit, aux arêtes comme taillées au biseau, ses joues un peu creuses, ses lèvres minces et son visage allongé lui donnaient l'air d'un ascète de Giotto. Il était habillé sobrement : son pourpoint ainsi que son haut-de-chausses étaient de simple drap noir, sans même une fraise ou une broderie pour les égayer.

Soudain, rompant le silence, il mit sa grande main maculée de couleurs sur mon épaule.

— Écoute, dit-il d'une voix un peu tremblante, ta femme... Ta femme est vraiment très belle.

Je me raidis. Qu'allait-il me dire ensuite ? Qu'il m'offrait vingt pistoles pour une nuit avec elle ? Ce n'était pas pour m'étonner : j'avais déjà reçu de telles propositions. Je sentis mon dos se hérisser. J'enlevai brutalement sa main de mon épaule et me levai de ma chaise. Mes poings fermés appuyés sur la table, je grondai :

— Je le sais qu'elle est belle, ma femme. Mais justement, c'est MA FEMME, et je ne permettrai pas...

Renaud m'interrompit d'un rire.

— Mon ami, calme-toi ! Je ne veux pas la séduire, ta Pernelle. Je ne veux que la peindre. La peindre !

Il s'anima, la nuit de ses yeux tout à coup remplie d'étoiles. Ses mains se mirent à s'agiter en l'air comme des oiseaux fous.

— Lorsque je l'ai vue, l'artiste en moi s'est éveillé comme il ne l'avait pas fait depuis longtemps. Je pourrais faire d'elle la plus belle Vénus qu'il n'ait jamais été donné de voir, une Vénus jamais peinte, l'œuvre de ma vie! Ah! Si tu savais, si tu savais combien j'attendais pareille rencontre!

Il me prit le bras et le serra convulsivement en plongeant son regard de braise dans le mien.

— Je t'en prie, permets-moi de la prendre pour modèle.

Devant son évidente sincérité, je m'adoucis assez pour répondre calmement.

— Mais je ne veux pas de ma femme nue dans ton échoppe, devant toi! Et ce jeune apprenti...

Mon hôte rit de nouveau.

— Écoute, je suis peintre. Tel un médecin, je travaille sur les corps sans y mettre d'autre passion que celle que je porte à mon art. Et puis, mon apprenti, eh bien! Il devra bien apprendre un jour comment est fait le corps d'une femme! De toute façon, ajouta-t-il après un silence, avec tout le temps qu'il passe dans les cafés avec ces vauriens d'écoliers, jamais je ne croirai qu'il n'a pas eu au moins une fille nue devant lui...

Il suspendit un instant ses paroles, puis reprit:

— Ah! Si tu savais... Ce portrait me prend déjà aux entrailles, il me vole déjà toute la pensée...

Ses yeux s'étaient embués. Interdit, je ne pus que lui dire que j'y réfléchirais.

Ce soir-là, je réveillai Pernelle pour la prendre, rageusement, presque avec désespoir.

Le lendemain, nous visitâmes la ville pendant que Renaud, à ma demande, se mettait à travailler sur le livre d'heures. Nous fûmes enchantés par la primatiale où trônait une magnifique horloge, chef-d'œuvre de la science moderne, qui non seulement marquait les heures et les minutes, mais qui donnait aussi les mouvements des planètes ainsi que le calendrier. Pendant que nous la contemplions, elle sonna l'heure de none. De jolis automates, placés à son sommet, s'actionnèrent en une représentation de l'Annonciation. Cette merveille existe toujours, bien qu'elle soit actuellement en réparation. Nous nous agenouillâmes un instant pour prier, puis nous repartîmes vers la boutique de Renaud.

Nous trouvâmes le peintre assis dans son atelier, le livre d'heures ouvert devant lui. Il n'y avait pas touché.

L'apprenti était à préparer des couleurs, broyant des pigments qu'il mêlait ensuite à de l'huile de lin. Il leva de petits yeux de furet à notre arrivée. Il se tenait ramassé comme une chatte prête à bondir, toujours aux aguets. Je pensai que ce garçon devait avoir l'esprit empreint d'une certaine perversité. Sur un ordre bref de son maître, il partit, la tête rentrée dans les épaules, non sans lui avoir jeté un regard étrange, où se mêlaient la haine et l'envie.

Le souper fut court. Pernelle, fidèle à sa saine habitude, alla dormir tout de suite après.

— Alors, me dit presque aussitôt Renaud, tu as réfléchi?

Tout son corps tremblait d'anxiété.

Je remplis nos hanaps et levai ensuite le mien avant de prendre une grande lampée. Puis je m'accoudai à la table, de façon à rapprocher mon visage du sien.

— Je ne suis pas venu ici pour te donner ma femme à peindre, dis-je entre mes dents, mais pour te faire restaurer des enluminures. Et puis, si tu te jettes corps et âme dans ce portrait, quand trouveras-tu le temps de répondre à la commande de mon maître?

L'homme ne répondit pas tout de suite. Il se leva, approcha son siège du foyer, ôta ses mules et se rassit, les pieds tournés vers la flamme réconfortante. Il émit un petit claquement de langue, se moucha dans sa main gauche, puis, après un moment qui me parut interminable, il dit:

— Je ne pourrai faire aucun travail tant que ce portrait emplira ma tête comme un vœu non accompli. De toute la journée, tu vois bien, je n'ai rien fait qu'y penser. Tu as devant toi un homme consumé…

Il soupira, puis s'absorba dans la contemplation du feu.

Les pensées se bousculaient dans mon esprit. Qui me disait qu'il n'y avait pas quelque idée galante derrière ce qui n'était peut-être qu'un jeu destiné à me leurrer? Et qui me disait qu'il y avait quoi que ce fût de ce genre? Je puis avouer aujourd'hui que, malgré que l'idée qu'un autre que moi pût voir Pernelle nue me rendît à moitié fou, j'étais assez flatté qu'un artiste voulût en faire l'œuvre de sa vie. Et puis, d'un autre côté, il fallait bien que le travail commandé par mon maître s'effectuât. Et Renaud, s'il fallait l'en croire, n'en ferait rien tant qu'il n'aurait pas peint ce maudit portrait. J'aspirai une grande bouffée d'air et vidai mon verre d'un trait.

— C'est bon, dis-je d'une voix blanche. Tu peindras ma femme.

Après avoir laissé tomber ces paroles presque malgré moi, je lui pris le menton et tirai vers moi son visage, jusqu'à ce que son haleine vînt à mes narines, et, les yeux plissés sur ce que j'espérais être un regard meurtrier, je sifflai entre mes dents :

— Mais jure-moi devant Dieu que tu ne la toucheras pas !

Les yeux du peintre s'étaient mis à briller. Il me prit dans ses bras et me serra si fort que je ne pus m'empêcher de tousser.

— Ah! Mon ami! Quelle joie! Par ma foi, sur mon âme, je te le jure! Je jure tout ce que tu voudras! Ah! Tu verras comme elle sera belle!

Le lendemain, lorsque je lui annonçai — non sans force recommandations et menaces à peine voilées — quelle serait son occupation prochaine, Pernelle ne fit pas d'objection à ce qu'on la peignît. Je crus même percevoir, à sa façon de rougir quand on parlait devant elle de ce tableau, qu'elle tirait une certaine vanité de cette fraîche beauté qui avait si bien attiré les regards d'un artiste. Le travail commença dès ce matin-là, dans la lumière diffuse de l'atelier: on installa un grand paravent pour éviter que les clients des *Belles couleurs* pussent voir ce qui se passait dans l'arrière-boutique et Renaud mit Pernelle nue sur un divan qu'il garnit de coussins. Il plaça son cou, ses bras, ses jambes, tout son corps enfin, la touchant avec un tel détachement, un tel souci du détail esthétique que, finalement tout à fait rassuré sur les intentions du peintre, je pus quitter l'échoppe et le laisser seul avec ma précieuse épouse.

Je passai les jours suivants à me promener dans la ville, parfois en rongeant mon frein, il faut bien le dire. L'apprenti fut chargé de me tenir compagnie et, très vite, je ne l'aimai pas. De façon générale, ses propos étaient ceux d'un être amer et cynique, jaloux du bonheur des autres. À le voir et à l'entendre cracher tant de mépris, je me demandai sincèrement si c'était possible que, d'une âme si empreinte de laideur, pût émaner la moindre beauté, et si vraiment un artiste résidait dans cet esprit tordu. Plus je l'écoutais, plus je me persuadais qu'il n'avait aucun talent et qu'il enviait férocement celui de son maître, chez qui il avait été placé, crus-je comprendre, par une tante riche et convaincue qu'il fallait, à toute famille respectable, son artiste : le petit avait montré quelque disposition pour le dessin, on s'était donc empressé de le mettre en apprentissage dans une bonne échoppe. Mais ce qui me déplaisait le plus en lui, c'était la fièvre mauvaise qui envahissait son visage quand il se mettait à parler de «ces sales réformés» qui seraient un jour bien punis de leur hérésie, et à dire qu'il faudrait un bon bûcher pour faire place nette une fois pour toutes. Connaissant l'allégeance religieuse de mon nouvel ami, je ne pouvais qu'éprouver une grande contrariété devant ces discours fanatiques.

Néanmoins, il connaissait bien sa ville et me la montra sous tous ses aspects. Mais malgré Lyon la lumineuse, que j'avais tant rêvé de voir, je regrettais tout de même l'instant où j'avais accepté d'y venir. Même si Renaud m'avait paru parfaitement sincère en me promettant de respecter la vertu de ma femme, un malaise confus m'habitait constamment. Le peintre m'interdisait l'accès à l'atelier pendant la journée, prétextant qu'il avait besoin de solitude pour travailler à son œuvre. Le soir venu, tout était rangé. Je cherchais toute la nuit sur ma femme une odeur étrangère, comme si j'eusse secrètement désiré que mes craintes fussent fondées...

Renaud, lui, était de fort belle humeur. À la veillée, il prenait plaisir à raconter ses souvenirs de campagnes, que nous écoutions, Pernelle les joues roses — car elle n'allait plus se coucher tout de suite après le repas — et moi, de plus en plus maussade, observant à la dérobée les changements subtils qui se produisaient peu à peu chez mon épouse. Elle chantonnait en lavant les écuelles et souriait en dormant. Je me sentais devenir fou de jalousie, mais je devais absolument revenir chez mon maître avec le livre d'heures remis en état. Je prenais donc mon mal en patience, tout en me jurant de ne plus jamais remettre les pieds dans cet endroit.

Un soir, le peintre mit de nouveau sa main sur mon épaule, comme il l'avait fait le premier jour. Je ne l'ôtai pas.

— Écoute, il ne reste à peindre que le visage. Si tu veux, avec Pernelle, vous pourriez aller faire un tour dans le Sud. Elle m'a dit qu'elle avait un cousin à Orange. Allez le visiter. Lorsque vous reviendrez, j'aurai complètement fini. Tu verras : c'est déjà magnifique !

Je voulais m'éloigner de cette ville, il m'en donnait l'occasion. Parfait.

Nous passâmes donc plusieurs jours dans la vallée du Rhône, chez le cousin de Pernelle. La beauté des femmes de cette région m'étonna grandement : les cheveux de jais, les yeux de velours, la peau mate rappelaient les princesses maures dont parlent les récits de croisades. Les couleurs vives dont elles s'habillaient rendaient un continuel hommage au soleil qui brillait si fort sur ce Sud aux portes duquel nous nous trouvions. La ville romaine nous intéressa vivement et nous nous amusâmes à comparer ces ruines-là avec celles de Lyon. Pernelle, de très bonne humeur, passa beaucoup de temps à papoter avec la femme de son cousin qui, de son côté, profita de notre séjour pour me montrer — non sans fierté — un assortiment de creusets, de cornues, d'alambics et d'autres instruments du genre qui lui servaient à fabriquer potions et onguents à base des simples qu'il récoltait lui-même. C'était un herboriste confirmé ; d'ailleurs, Pernelle m'avait souvent parlé de ce parent dont la réputation n'était plus à faire.

Ce furent donc de beaux jours. Ma femme me témoignait enfin un amour dont j'avais été sevré pendant tout le temps où elle avait posé pour Renaud. De plus, elle faisait preuve au lit d'une ardeur neuve qui me comblait. Aussi, lorsque nous reprîmes le chemin du Dauphiné, j'avais pratiquement oublié les sombres pensées qui me tourmentaient une semaine plus tôt. Ma femme était jeune, pleine d'esprit, et aucune Méridionale, si belle fût-elle, ne la dépasserait jamais en fraîcheur et en grâce. J'en étais fier comme d'un trésor sans prix.

Cependant, à mesure que nous approchions de Lyon, Pernelle devenait songeuse. Muette, elle semblait prise d'une agitation intérieure qui ne faisait que croître au même rythme que diminuait la distance qui nous séparait de la maison de Renaud. J'aurais dû redouter ce qu'elle pressentait.

Le jour tombait quand nous atteignîmes la vieille église. Des gens allaient et venaient encore, accomplissant les dernières besognes avant que la nuit n'enveloppât complètement la ville. Il était passé vêpres; Renaud devait nous attendre. Lyon, des villes que j'avais visitées, se distinguait par sa calme sérénité: personne ne semblait jamais se presser dans ces rues anciennes. Chacun vaquait, calmement, à ses occupations quotidiennes.

Or quelle ne fut pas notre stupeur, en tournant rue Juiverie, de voir un attroupement agité devant les *Belles couleurs*. Des hommes et des femmes se tenaient là, visiblement fâchés. À leurs vêtements modestes, je vis tout de suite qu'il ne s'agissait pas des riches clients de Renaud, mais d'habitants du quartier. Leurs propos, d'abord confus, nous arrivèrent peu à peu, par bribes, à mesure que nous approchions. «Quelle honte! Un affront à Notre Seigneur! Ridicule! Folie! Hérésie!» Tels étaient à peu près les morceaux de commentaires qui nous parvenaient. Pernelle, les yeux agrandis, sembla tout à coup très effrayée et descendit de sa monture pour courir vers l'échoppe. Je l'imitai.

Soudain, une voix s'écria :

— C'est elle !

Comme je songeais que cette voix ressemblait à celle, fausse et nasillarde, de l'apprenti, je crus apercevoir son visage qui disparut aussitôt, anonyme dans cette foule sans traits. On se tourna vers nous et l'on s'écarta pour nous laisser passer, tandis que s'élevait un murmure désapprobateur qui nous accompagna jusqu'à ce que la porte fût close. Renaud était dans l'atelier. Il nous cria de venir le rejoindre. Dans sa voix se mêlaient la joie et, étrangement, l'inquiétude.

En pénétrant dans la pièce, je demeurai interdit par ce qui s'offrait à ma vue. Pernelle porta la main à sa bouche pour étouffer un petit cri. Le panneau était immense : presque deux aunes de hauteur. Dès cet instant, je sus que Renaud n'avait pas honoré son serment. Il avait couché avec ma femme.

Le portrait la représentait nue, à demi étendue sur un lit de coussins, dans l'attitude lascive d'une femelle repue par des ébats passionnés. L'œil luisant, la paupière lourde, la bouche entrouverte sur un soupir de réminiscence, le sein affaissé, offerte comme une perle au creux de la main, elle était là, plus belle, plus vivante que je ne l'avais jamais connue, nimbée de cette lumière diffuse qu'on ne rencontre qu'à Lyon. Avec du recul, je peux reconnaître aujourd'hui le chef-d'œuvre de vérité qu'avait créé l'artiste de génie qui, à ce moment-là, restait planté à côté de son œuvre, les yeux inquisiteurs, guettant ma réaction.

Aveugle et sourde, prenant le dessus sur l'admiration, la colère monta en moi, telle une tempête mugissante qui s'abat d'un seul coup. Hurlant sans mots, je me serais jeté à la gorge du traître si un cri strident de Pernelle n'avait suspendu mon élan. Je me tournai vers elle. Saisie d'effroi, immobile, elle montrait de son bras tendu la porte de l'échoppe qui s'ébranlait dangereusement. Les gens, dehors, semblaient n'avoir attendu que ma voix pour réagir à leur tour. Couvrant le brouhaha qui enflait, j'entendis de nouveau cette voix de fausset que je connaissais, et qui scandait :

— Hérésie ! Hérésie !

Alors, les paroles fanatiques de l'apprenti me revinrent en mémoire.

Renaud s'élança vers la porte contre laquelle il s'arc-bouta de toutes ses forces. De l'extérieur nous parvenait maintenant un grondement terrifiant, celui d'une foule transportée, mue par une seule et même rage. J'oubliai ma propre colère et me précipitai pour porter secours au peintre. La foule, dehors, qui avait dû grossir à mesure que la rumeur s'était répandue qu'un hérétique avait peint quelque chose d'immonde, se déchaînait. Nous ne pûmes résister longtemps. Le chambranle céda dans un grand craquement et la porte s'abattit sur moi.

Je sentis confusément, avant de perdre conscience, qu'un grand nombre de gens me passaient sur le corps. Une dernière clameur me parvint :

— À mort ! À mort les hérétiques !

Puis, plus rien.

Je ne sus que bien plus tard ce qui s'était passé ensuite. À coups de pierres et de pavés arrachés à la rue, Renaud avait été lapidé à mort. Dans la mêlée, personne n'avait vu sortir Pernelle, traînant sans doute péniblement derrière elle son portrait. Elle avait compris, j'imagine, que cet homme qui mourait à présent sous les coups d'une meute enragée avait créé quelque chose d'extraordinaire.

On retrouva son corps alors que je me rétablissais à peine. Un enfant qui pêchait au bord de la rivière avait aperçu une touffe de cheveux bruns flottant au gré du courant. À ses cris, des bateliers étaient accourus et avaient repêché ma femme, ma Pernelle, dont la beauté, après le long séjour dans l'eau, n'était plus que l'ombre boursouflée de ce qu'elle avait été. Quant au portrait, on ne sut jamais ce qu'il en était advenu.

Je ne retournai pas en Bretagne. La peur de retrouver partout le fantôme de mon amour, bien plus que la honte de revenir sans le livre d'heures qui avait été saccagé avec tout l'atelier de Renaud, me retint. Après plusieurs semaines d'abattement, je décidai de rester à Lyon.

Grâce à des séjours instructifs chez le cousin d'Orange, j'ai pu m'établir comme herboriste dans l'ancienne demeure de Renaud. Les résidants du quartier, venus d'abord me consulter un peu par pitié, ont fini par me reconnaître une certaine compétence. J'ai maintenant une pratique fidèle. J'aime mon travail. Et c'est étrange : en procurant à ces gens un peu de bien-être, j'ai parfois l'impression d'expier leur propre crime.

Je ne me suis pas remarié. Une femme m'attend à Orange ; je la vois de temps en temps.

VIE ET MORT DE LOUIS-SEIZE STONE

— Encore un garçon !

La grosse sage-femme remplissait toute la porte de la chambre à coucher. Elle remuait lentement la tête en essuyant inutilement ses mains sur son tablier souillé. De la pièce attenante à la cuisine provenait une chaude odeur de sang. Les halètements de l'accouchée, maintenant assoupie, hachaient doucement le silence moite qui avait suivi les douleurs de l'enfantement.

— Sainte étole ! dit le père. Encore un gars, ça fait onze, ça. Comment est-ce que je vas l'appeler, celui-là ?

Le père Stone, mineur de son état, se gratta l'arrière de la tête. Il était gras, dans tous les sens du mot, de la racine des cheveux jusqu'aux orteils. Les épaules larges et voûtées, la panse velue, les mains courtes aux ongles toujours noirs, les petits yeux sombres enfoncés dans leurs orbites, la bouche molle et lippue, le nez épaté, Évrard Stone n'était pas ce qu'on peut appeler un bel homme. Il avait commencé à travailler à la mine dès l'âge de treize ans, ce qui avait achevé d'aliéner une intelligence déjà peu développée. Mais c'était un honnête bonhomme, dur à la tâche et bon père de famille. Et dans ce village du bout du monde, le travail des mains constituait encore la seule vraie valeur. Le père Stone était donc digne d'un grand respect.

La porte de la cuisine s'ouvrit, laissant s'engouffrer dans la pièce un vent d'hiver humide. Un grand garçon écourtiché entra. Il ressemblait, comme tous ses frères, au père qui se tenait, hébété, un poing appuyé sur la table. En voyant la sage-femme, l'adolescent gueula :

— Pis, l'pére ! On a-t'y eu une fille ?

Le père leva les yeux au ciel sans répondre.

— Bon, soupira le garçon. J'vas 'ller charcher l'livre, d'abord.

Puis il monta à l'étage, où dix lits en fer étaient cordés dans une seule grande pièce. Le grand frère, Voltaire, celui qui allait entrer au séminaire l'an prochain, avait accroché au pied de chaque lit une petite planche où il avait gravé le prénom de chaque garçon.

Le livre était rangé sous le lit de Voltaire et le lit de Voltaire se trouvait tout au fond. Washington Stone, le garçon écourtiché, ne savait pas lire, mais il connaissait par cœur les noms inscrits sur les planchettes. Il les récita tout bas, dans l'ordre, du plus jeune au plus vieux, en se dirigeant vers le lit de Voltaire.

— Jean-Baptiste Stone, Pie-Dix Stone, Washington Stone, Machiavel Stone, Laval Stone, Boccace Stone, Harpagon Stone, Marc-Aurèle Stone, Mozart Stone, Voltaire Stone.

Il se pencha, sortit de sous le lit ce qui avait l'air d'un très vieux Larousse ayant perdu tous ses A ainsi que sa couverture, et redescendit en courant.

Le couvert était mis et une marmite de ragoût à l'odeur fade fumait sur le poêle. Autour de la longue, longue table, le père et les neuf autres garçons avaient déjà pris place. Le petit Jean-Baptiste, qui avait deux ans, bénéficiait d'un coussin, parce qu'il était trop petit.

— Sainte étole, Washington! Ça t'en a pris du temps! dit le père en fronçant ses gros sourcils. Donne-moi l'livre, pis assis-toi, asthcure.

Le bonhomme ouvrit le livre à la partie des noms propres et au hasard, comme il l'avait fait pour tous ses fils, ferma les yeux et posa cérémonieusement son index sale sur la page, n'importe où.

— Viens lire, Voltaire.

Le jeune homme lut:

— Louis XVI.

— Louis-Seize? fit le père. Louis-Seize qui?

— C'était un roi de France, dit Voltaire. Mais j'sais pas trop si c'est une b...

— Un roi de France! aboya le père. C'est bon, ça, un roi de France. On va l'appeler Louis-Seize.

Et c'est ainsi que fut baptisé le onzième garçon de la famille Stone.

Louis-Seize Stone avait grandi. Voltaire enseignait au séminaire, maintenant, et les autres frères
travaillaient tous à la mine, sauf Louis-Seize. Le
père était mort, mangé par la charrue qu'il n'avait
pas entendue venir, étant donné que ses années à
manœuvrer un marteau-piqueur au fond de la mine
avaient fini par le rendre sourd. Le plus jeune de
la famille demeurait le seul réconfort de sa mère,
qui se tordait peu à peu, victime d'arthrite chronique. Elle gâtait outrageusement son dernier fils,
au point qu'il en était devenu un véritable despote.
Il battait le chien, volait ses frères et mentait comme
un païen. Antoinette Stone ne voyait rien de tout
cela, occupée qu'elle était à se plaindre de son
arthrite.

Un beau jour, les neuf, qui étaient tous restés
garçons, sauf Washington qui était fiancé, en eurent
assez. Ils se réunirent à la taverne en rentrant de
la mine. Les grosses bières à moitié vidées, ils en
vinrent à discuter de leur problème.

— Y faut faire que'qu' chose, larmoya Harpagon.
Y m'a volé toutes mes épargnes pour s'acheter du
gros gin !

— Pis y s'amuse à baptiser mon thé quand j'ai
le dos tourné, soupira Jean-Baptiste.

— Moi, renchérit Mozart, y m'a caché ma
musique à bouche.

— Y arrête pas de conter des menteries, continua Boccace.

— Y s'rait temps qu'y prenne son indépendance, affirma Washington.

— On devrait y donner une bonne volée, proposa Marc-Aurèle.

— Faudrait qu'y arrête de boire pour commencer, sentença Laval.

— Va falloir l'amadouer si on veut qu'y nous écoute, remarqua Machiavel. On serait mieux de le *faire* boire à la place de l'arrêter.

— Arrêtez donc, gang de fous! les interrompit Pie-Dix. Ça prend un conseil de quelqu'un de plus savant que nous autres. Voltaire, lui, y est savant, y va nous dire quoi faire. On va y écrire.

— Mais on sait pas écrire! protestèrent en chœur les huit autres.

Après une brève discussion, il fut décidé qu'on demanderait à Mariette, la fiancée de Washington, d'écrire la lettre, parce qu'elle était institutrice.

Cher Voltaire,

Je vous écrit de la par de vote frère Washingtone et aussi de la par des ôtes. S'est à cause de vote plus jeune frère Louis-Sèze. Les garçon son pas contant de lui parce qu'il est pafin avec eux-ôtes. Il voudrait savoir quoi fère.

Bien à vous,

Mariette Babin

Après avoir relu la lettre plusieurs fois, Voltaire réfléchit longuement, comme il convenait à un intellectuel de sa trempe. Puis il écrivit ceci :

Mes bien chers frères,
Voici que je reçois de vous une épître qui me remplit de tristesse. Quoi? Louis-Seize vous ferait des misères? Vous voilà injustement traités? Je ne vois qu'une solution: dites-lui, en toute franchise, ce que vous lui reprochez. Vous le rendrez bien au bon sens en lui présentant les choses clairement. De mon côté, je prie Dieu qu'il lui accorde une âme meilleure.
Votre frère aimant,
Voltaire Stone

Les frères Stone furent bien contents de recevoir très vite la réponse de Voltaire. Ils coururent chez Mariette qui leur divulgua laborieusement le contenu de la précieuse missive.

Ce soir-là, la famille Stone au grand complet, sauf le père qui était mort mangé par la souffleuse et Voltaire qui enseignait au séminaire, se réunit en conseil. La mère, plus tordue que jamais, gémissait doucement près du poêle en écoutant ses fils.

— Louis-Seize, annonça pompeusement Pie-Dix, on t'a faite venir pour te dire des affaires qu'on a à te dire.

— Ouais, dit Mozart. On a des affaires à te dire.
Tu vas faire face à la musique.

— Ouais! approuvèrent les autres.

— Quoi c'est qui s'passe, là? rétorqua Louis-
Seize, renfrogné. Quoi c'est qui vous pogne? C'est-
y à cause que j'travaille pas? J'travaille, vous saurez.
Pis j'gagne même pas une cenne à m'occuper d'la
mére qu'est tout croche pis qui peut pus rien
faire.

— Non, dit Pie-Dix. C'est pas tout à fait ça.

— À partir d'astheure, c'est fini tes niaiseries.
Tu vas arrêter de nous manger la laine sur le dos,
dit Jean-Baptiste.

— Ouais! firent les autres.

— Tu nous voles nos biens! s'écria tout à coup
Harpagon, les yeux exorbités. Toute la belle argent
qu'on met de côté pour nos vieux jours! Tu nous
assassines!

— Énarve-toi pas, Pagon, dit Pie-Dix. Mais c'est
vrai, Louis-Seize. T'es pas correct avec nous autres.
T'as pris de l'argent dans le bas de laine à Pagon,
t'as caché la musique à Mozart, pis l'Bon Yeu sait
quoi ce que t'as faite d'autre. Va falloir que t'arrêtes
ça, là, parce que nous autres, on est à' veille de se
choquer pour de vrai. Pis Voltaire te fait dire que
t'es même pas fin, à part de ça.

— Ouais! conclurent les autres.

Louis-Seize regarda ses frères, ahuri.

— C'est vous autres, les pas fins! protesta-t-il.
Vous comprenez rien! Moi j'ai pas demandé à faire

la job de prendre soin d'la mére, pis de rester icitte à longueur de journée. Peut-être que j'aurais aimé ça, moi 'ssi, aller à' mine, hein! Mettez-vous ça dans' pipe, pis fumez-la!

Là-dessus, après avoir envoyé un coup de pied dans les côtes du chien qui était dans ses jambes, il monta dans la chambre en faisant rageusement résonner les marches de l'escalier.

Les frères se levèrent, en colère, et décidèrent d'un commun accord d'aller se rafraîchir les idées à la taverne. Une fois dehors, ils entendirent Louis-Seize, qui avait sorti sa tête par la fenêtre.

— C'est ça, gang de pas bons, allez boire vos profits à' taverne!

Machiavel, ne pouvant plus se contenir, ramassa une pierre et la lança de toutes ses forces en visant son frère. La pierre sembla voler longtemps, longtemps. Elle n'atteignit pas Louis-Seize, qui restait là, tirant la langue, mais elle s'en fut frapper violemment le lourd châssis de la fenêtre à guillotine qui s'abattit lourdement sur son cou qu'il étirait pour mieux faire des grimaces.

Les neuf garçons portèrent en même temps la main droite à leur bouche. La tête de leur frère roula sur le toit de l'appentis et, après une dernière culbute, alla finir sa course sur un pieu de la palissade où elle resta plantée, toute droite.

Le premier instant de stupeur passé, les frères Stone convinrent qu'une grosse bière serait le meilleur remontant du monde. La tête basse et les mains dans les poches, ils tournèrent le dos au visage figé de Louis-Seize et continuèrent en silence leur chemin vers la taverne.

L'IRRÉPARABLE OUTRAGE

*Je ne peins pas l'être. Je peins le passage:
non un passage d'âge en autre, ou, comme
dit le peuple, de sept en sept ans, mais
de jour en jour, de minute en minute.*

Montaigne

Ce matin, elle est toute joyeuse devant son miroir.
Elle termine sa toilette. Peut-être un peu plus soigneusement que d'habitude. C'est qu'il va venir
tout à l'heure. Elle veut qu'il la voie comme elle se
sent. Légère, légère, légère. Les bras remontés en
arc telles les ballerines de son livre d'enfant, elle
entortille ses cheveux, qu'elle préfère garder longs,
en un chignon un peu lâche. Elle sait que cette
coiffure l'avantage entre toutes.

Il y a trois semaines, une glissade sur un trottoir
glacé lui a laissé une mauvaise cassure à la cuisse.
Plâtrée jusqu'aux oreilles, incapable dans ces conditions de préparer elle-même sa nourriture ni d'entretenir son petit trois et demi de la rue Price, et son

métier d'écrivain ne lui donnant pas les moyens de se payer une infirmière à domicile, elle a répondu à une petite annonce parue dans *Le Progrès*: «Étudiant en théologie, sérieux et fiable, offre son aide aux personnes en difficulté. Ménage, préparation des repas, compagnie. 662-3222.» Le lendemain midi, il a sonné à la porte. À moitié étendue dans son fauteuil inclinable aux accoudoirs usés, enveloppée dans le soleil qui entre toujours à flots par cette fenêtre, entourée des grands camélias qu'elle fait pousser avec amour depuis des années, elle lui a crié d'entrer, d'une voix distraite parce qu'elle était en train de revoir le manuscrit de son dernier roman que son éditeur venait de lui renvoyer. Il a ouvert la porte et, une fois sur le paillasson, il s'est tenu silencieux pendant quelques secondes. Il s'est raclé la gorge. Elle a levé la tête avec un sourire de circonstance. Elle a plissé les yeux pour le voir — elle ne porte jamais ses lunettes, toujours suspendues à son cou, inutiles, par une chaînette en argent. Son cerveau a fini par composer une image à partir de la silhouette et c'est là que ça s'est produit. Jetée à terre, elle a été, puis propulsée dans les confins des sphères étoilées. Merde, manquait plus que ça: un coup de foudre.

Balayant sous la politesse les dégâts de la secousse, elle l'a invité à s'asseoir. Il a proposé de faire du thé. Gentil, en plus. Après, ils ont parlé en grignotant les muffins qu'Annie — en coup de vent comme toujours — avait apportés le matin même.

D'abord superficielle, la conversation s'est assez vite concentrée sur des sujets de fond pour bientôt devenir ab-so-lu-ment passionnante. Ils ont parlé d'histoire des religions, de philosophies orientales, de philosophie tout court. Il a un humour un peu délirant qui joue avec les mots et les idées. Ils ont ri plusieurs fois de bon cœur lors de cette première entrevue. Évidemment, elle l'a engagé puisqu'il fait l'affaire. Ils ont continué à parler jusqu'à la fin de l'après-midi et il est parti en la saluant avec beaucoup de grâce, non sans avoir auparavant sorti du four le bœuf bourguignon apporté par Annie avec les muffins. «Voilà, madame Gautier. Comme ça vous n'aurez qu'à vous servir. À demain.» Cette voix un peu rugueuse lui fait penser à du caramel écossais. Curieux, ce rapport avec les sucreries. Elle n'en mange plus depuis tellement longtemps! Il a doucement enserré les doigts minces dans ses mains chaudes et fermes, lui a souri et s'est glissé de l'autre côté de la porte avec une souplesse de chat. Elle a écouté son pas décroître sur le palier avant qu'il n'ouvre et referme la porte donnant sur l'escalier extérieur. Elle est restée pensive pendant plusieurs minutes, les yeux perdus dans le ciel nuageux de mars qui ondulait à travers la fenêtre, un sourire de mystère flottant sur sa figure.

Ce soir-là, elle a longuement médité sur l'étrange beauté de ce garçon si gentil. En fait, c'est un châtain aux yeux d'un bleu banal, de taille et de poids moyens, les traits tout ce qu'il y a de plus communs ; il paraîtrait bien fade sans cette espèce de lumière qui émane de lui. C'est cet appétit de tout, cette gourmandise de vivre qui donne à ce visage ordinaire l'espèce de lumière qui l'a fascinée, comme on est fasciné par un feu de camp. Lumière, chaleur, protection, repère dans la nuit, musique maladroite et heureuse des chants entonnés sous les étoiles... Il exhale tout ça, ce visage. On a écrit que chaque amour naît du souvenir d'un amour passé. Peut-être son cœur à elle s'est-il souvenu d'un joli amour de vacances à la vue de cette silhouette gauche encadrée dans l'entrée. Elle lance un coup de menton moqueur à son reflet dans la glace. « T'es comique avec ta manie de toujours tout analyser. Il t'a tapé dans l'œil, c'est simple comme le bien que ça fait. C'est tout. Faut pas essayer de comprendre. »

Elle pouffe avant de se remettre à arracher soigneusement, avec une pince, les quelques poils fous qui lui poussent au bout du menton. Les yeux plissés — sans ses lunettes, elle ne voit vraiment pas grand-chose —, elle s'examine scrupuleusement dans le petit miroir grossissant, à la recherche de pilosités indésirables. Quand elle en trouve une, elle la saisit avec l'extrémité du petit outil et, d'un coup sec, l'extrait de sa châsse minuscule. Si le poil est trop près de l'œil, celui-ci s'emplit de larmes et la narine correspondante se met à picoter. Ça la fait renifler. Parfois même elle éternue rondement. Si dans ces cas-là elle a commis la lunerie de mettre du mascara avant de s'épiler, elle se retrouve avec un œil au beurre noir. Il lui faut alors se démaquiller et tout recommencer. Mais ce matin, elle est à son affaire. La qualité de son maquillage est d'une importance capitale. Il faut qu'il soit le plus avantageux possible tout en demeurant discret. C'est un art.

La bouche tordue par la concentration, elle scrute les pores de son visage en quête d'éventuels points noirs. Sa pensée se remet à gambader, sautillante comme une petite chèvre saoule de liberté dans la montagne. Elle se vautre dans le souvenir d'une bouche couleur de prune surette, vierge du pli désabusé qu'on voit trop souvent aux commissures des intellectuels d'un certain âge. Oh non, il n'est pas comme eux, lui, il a des lèvres dessinées par le rire, des dents faites pour croquer les pommes et mordre le cou des femmes. Elle tressaille, la gorge soudain serrée sur un rire qui n'est pas certain d'en être un. «Oh, Seigneur, c'est vrai, je suis amoureuse.» Elle glousse comme une adolescente et retourne à son inspection.

Ils ont fait plus ample connaissance au fil des jours. Ils ont échangé des secrets, des histoires douloureuses ou comiques, ils ont déliré et divagué sur toutes sortes de sujets. Elle se sent avec lui comme avec un vieux complice, le trouble en plus. Hier, elle a osé lui offrir de rester à souper. Ils ont bu du sauvignon blanc en dégustant des moules poulette qu'il a concoctées selon les indications qu'elle lui lançait depuis son fauteuil, qu'il avait tiré près du comptoir de cuisine. Ils ont ri encore. Ils ont parlé d'amour. D'érotisme. Puis d'amour. Elle a profité de cette intimité toute neuve pour humer à loisir son odeur de jeune homme, pour s'imaginer le sujet des timides confidences qu'il lui offrait comme des présents. Cela a été une soirée de pur bonheur.

Satisfaite de son examen, elle saisit son poudrier pour estomper d'un geste léger les petites taches brunes qui parsèment son front et ses tempes. Elle doit se dépêcher puisqu'il arrivera dans une ving-taine de minutes. Ils reprendront la conversation d'hier soir. Elle chantonne, radieuse, de sa petite voix grêle qu'elle n'aime plus : «Plaisir d'amour ne dure qu'un moment...» En rangeant son poudrier, elle se demande s'il est du genre silencieux ou bavard pendant l'amour. Elle aimerait entre les deux. Pas un moulin à paroles, mais quelqu'un qui saura lui susurrer des saletés délicieuses au moment crucial. Elle applique soigneusement une petite couche de cache-cerne sous ses yeux. Un peu sur la paupière aussi, pour éclaircir le regard. Elle sou-rit, gourmande, à l'idée que peut-être aujourd'hui, il prononcera son nom avec sa voix de caramel écossais, qu'elle le laissera venir à elle, qu'il aura les yeux fous d'elle, et qu'elle saura enfin ce que c'est que d'être serrée contre cette poitrine-là, avec ce désir-là tendu contre son bassin. Elle tente d'ima-giner le goût de sa peau, là, à cet endroit si sensi-ble et dont la surface si lisse est d'une douceur incomparable. Sa mémoire lui ramène sur la langue le sel d'une perle de désir. Elle étouffe un soupir de chatte avant de tracer, lentement, une ligne noire sur sa paupière, au ras des cils. Il ne faut pas que sa main tremble. Là.

Tandis qu'elle applique le mascara, les mots qu'il lui a dits la veille chantent dans sa mémoire. Par-dessus le verre de sauvignon blanc, le regard clair de David était bleu comme un ciel de Van Gogh. «Je voulais vous dire, Marguerite… Vous êtes la femme la plus fascinante que j'aie rencontrée.» Il lui a pris la main et l'a portée à ses lèvres. Il ne la tutoie pas. Ce voussoiement donne à leurs rapports la couleur terre de Sienne des vieilles photos de famille qu'elle garde dans une boîte, au fond du garde robe de sa chambre. Elle ne voudrait pour rien au monde qu'il change cette habitude. Et le baise-main… Les lèvres de David ont laissé, comme dans les romans d'amour qu'elle s'est toujours refusé à commettre, une empreinte brûlante sur sa peau.

Elle étire sa bouche pour passer le bâton de rouge. Elle en a choisi un plus foncé aujourd'hui. Carmin. C'est une couleur qu'elle a toujours aimée pour ce qu'elle recèle de feu et de sang. Toute la vie et toute la mort dans un bâton de rouge. Voilà. Avant d'aller allumer le feu sous la bouilloire, elle s'examine une dernière fois. C'est parfait. Le maquillage est parfait. Elle s'envoie un baiser affectueux, pour la chance. Elle va quitter la pièce maintenant.

Mais le sourire dans la glace commence à trembler. Depuis quelque temps, sa bouche se met à tressauter comme ça, sans raison. Sa tête et ses mains aussi sont parfois prises de trémulations incontrôlables. Et puis le blanc de ses yeux est jauni, comme un très vieux parchemin qu'on aurait trop lu. Et son iris prend l'eau, on dirait : le bleu-bleuet en est pâli par un voile trouble qui lui obscurcit peu à peu la vue. Dans son obstination à ne pas mettre ses lunettes, elle ne distingue pas vraiment le détail de ses traits. Elle rapporte en arrière une mèche échappée du chignon. À cause du mouvement qui agite sa main et la rend maladroite, elle défait une autre mèche au lieu de réparer sa coiffure. Elle s'impatiente. Sa dextérité n'en est que plus aléatoire. Dans son irritation, elle brusque tout, s'exaspère, tiraille, arrache : l'édifice neigeux qu'elle a érigé si savamment tout à l'heure finit par s'effondrer tout à fait. Avec un cri de dépit courroucé, elle ébouriffe furieusement sa chevelure pour achever le travail de sape. «Tant qu'à défaire !» Puis elle se calme. Respire tranquillement. Se dévisage.

Dans le miroir, les traits se contractent lentement. Un rictus déforme peu à peu la bouche soigneusement dessinée. Un sanglot s'en échappe, venu du fond d'un ventre étranglé d'horreur, une plainte courte et sèche. Une main diaphane, striée

de veines bleues parmi lesquelles courent des tave-
lures, vient en tremblant se poser sur les lèvres
sanguines, comme pour réprimer un haut-le-cœur.
Les sourcils se froncent, les yeux se brouillent, le
visage se décompose. La main frêle retombe sur la
vanité avec un bruit mat. Alors, tandis que des
larmes silencieuses suivent en rigoles noires les
sillons qui parcheminent ses joues, la vieille femme
entreprend de se démaquiller.

LE CHERCHEUR D'OR

C'est pendant le cours de géologie sédimentaire, alors que l'impavide monsieur Bourque expliquait l'intérêt de la province géologique des Appalaches, que Pierre m'avait convaincu de venir passer le congé de la mi-session chez lui, en Gaspésie.

On pourrait aller chasser, la montagne est assez giboyeuse. Puis tu verrais la mer, enfin. Sans compter qu'une petite expédition géologique dans les Chic-Chocs améliorerait peut-être tes compétences pour le cours de monsieur Bourque, avait-il ajouté en pouffant, ce qui nous avait valu un avertissement.

— Monsieur Tremblay, ce n'est pas en papotant avec votre voisin que vous réussirez ce cours. Il me semble qu'après deux reprises, vous devriez faire montre d'un peu plus de sérieux.

J'acceptai l'invitation dudit voisin d'un discret hochement de tête, en me promettant mentalement d'arracher à mon ami la garantie qu'à la mi-session d'hiver, il viendrait à son tour chez nous, au Lac-Saint-Jean.

J'avais connu Pierre Leblanc durant ma première année au bac en géologie : c'était le boute-en-train de notre bande de joyeux lurons. Au cours d'une séance de libations houblonnées plutôt réussie, nous avions fait plus ample connaissance et, après nous être congratulés sur nos nombreux points communs, nous avions tacitement décidé que nous étions amis. Il y avait maintenant deux ans que nous nous fréquentions et la camaraderie bon enfant du début avait fait place à une véritable et solide amitié. J'aimais réellement ce grand gaillard aux yeux bleus et à la longue tignasse blonde, dont la carrure, la corpulence et l'attitude bourrue de brute au cœur tendre lui avait valu le surnom de Hagar. De mon côté, nerveux, mince, noir de poil, plutôt taciturne, j'étais tout son contraire. Nous nous complétions, j'imagine, et c'est avec un bonheur véritable que nous nous installâmes, un vendredi pluvieux de la mi-octobre, dans l'autobus qui devait nous laisser, près de huit heures plus tard, au terminus de Sable-Rouge, où nous attendrait son père.

Je fus assez impressionné par la mer et le contraste qu'elle formait avec la montagne qui flamboyait dans ses éphémères atours d'automne. Mais l'immensité grise de cette baie qui se perdait très loin à l'horizon me donnait une espèce de vertige désagréable : j'étais trop habitué aux circonférences bien définies qui prévalaient chez moi. Par contre, j'avais très hâte d'aller marcher dans cette forêt-là, d'autant plus que Pierre m'avait confié durant le voyage que, pas très loin dans la montagne, des gars du ministère des Ressources naturelles avaient trouvé les indices d'un possible gisement aurifère.

Aussi, quand nous partîmes pour notre expédition le lundi matin, après une fin de semaine passée à faire la preuve que les Jeannois et les Gaspésiens n'avaient rien à envier les uns aux autres en ce qui concernait l'agilité des coudes, nous emportions, outre nos fusils, nos marteaux de géologues et nos lunettes de protection, au cas où. La mère de Pierre avait rempli nos sacs à dos de sandwiches aux cretons et de pommes, auxquels nous avions ajouté une bouteille de whisky piquée la veille dans la réserve paternelle.

Nous marchions à travers champs pour rejoindre les arbres quand, à la troisième ou quatrième clôture, nous rencontrâmes un fermier qui réparait un poteau endommagé. Pierre le salua.

— Bonjour, monsieur Landry !

— Ah, ben ! Si c'est pas le gars à Ti-Pit ! Étais-tu pas aux études, toi ?

— Oui, mais on est en congé cette semaine. J'ai invité un ami du Lac-Saint-Jean, Louis Tremblay.

— Salut ben, ti gars. Vous allez à' perdrix ? dit-il en pointant nos fusils.

— Si on en voit. Mais on va regarder aussi pour l'or, ajoutai-je en montrant le manche du marteau qui sortait de mon sac.

L'homme eut un mouvement de recul.

— Où c'est que vous allez chercher ça, c't'or-là? Pas dans l'boutte du premier campe, toujours?

— Ben oui, fit Pierre.

Une expression de terreur superstitieuse se peignit sur le visage de Landry.

— C'est pas trop le bon temps pour aller par là, les p'tits gars. Tu le sais, toi, Ti-Pierre, y m' semble, qu'y faut pas déranger Jean-Baptiste dans c'temps-là d'l'année!

Pierre partit de son bon gros rire.

— Voyons donc, monsieur Landry, c'est des histoires de grand-mère, ça! Pis on va être rentrés avant la noirceur, inquiétez-vous pas!

Il fit un signe de la main et nous continuâmes notre chemin. Intrigué, je demandai à mon compagnon qui était ce Jean-Baptiste qu'il ne fallait pas déranger et qui semblait faire si peur à ce monsieur Landry. Alors, l'air mystérieux, mon ami me fit le récit, toujours en marchant, de la tragique destinée de Jean-Baptiste Bernard, le chercheur d'or.

Le père de cet homme-là avait fait fortune au Klondike, au début du XXe siècle, puis était revenu s'établir à Sable-Rouge. Jean-Baptiste était l'aîné d'une grande famille de quatorze enfants. Fasciné par la vie de son père, il était obsédé par l'idée de trouver lui aussi, un jour, de l'or. Cela aurait pu être sans conséquences : beaucoup de gens, au village, avaient eu l'imagination chatouillée par les aventures fructueuses d'Henri Bernard, parti à dix-sept ans pour trouver du travail en Floride et revenu dix ans plus tard les poches pleines d'or après avoir vécu la grande ruée du Klondike. Mais, vers le milieu des années 1930, un soir d'hiver, un Indien micmac se présenta à la maison des Bernard avec un gros caillou qu'il voulait montrer à Henry, prononcé à l'anglaise, comme le bonhomme se faisait appeler depuis son séjour aux États. Le caillou était plein d'or. Henri voulut savoir où l'Indien l'avait trouvé.

— Par là, fit-il en pointant la direction de la montagne. Au printemps, j'irai te montrer.

Quand le printemps arriva, Henri était tombé malade, et ce fut Jean-Baptiste qui se rendit à la réserve micmac pour rencontrer le vieil Indien. Mais celui-ci était mort, laissant seulement une fille qui ne savait rien de l'endroit exact où son père avait trouvé son caillou. Alors Jean-Baptiste, pris de la fièvre de l'or, entreprit de chercher lui-même le gisement. Cela dura vingt ans, pendant lesquels il emprunta à droite et à gauche pour acheter du matériel, convainquant les gens d'investir dans son projet, promettant des profits, jurant qu'il avait le filon, que ce n'était qu'une question de temps. Mais les années passaient et Jean-Baptiste ne trouvait rien. Les créanciers se mirent à douter de la bonne foi du vieux garçon et réclamèrent leur argent.

Criblé de dettes, voyant s'amenuiser les chances de pouvoir un jour les rembourser, se sentant peu à peu devenir la risée du village, Jean-Baptiste se laissa gagner par le désespoir. À l'automne 1955, on le retrouva pendu dans un vieux camp de chasse, là même où monsieur Landry disait à Pierre de ne pas m'emmener.

— On dit que le fantôme de Jean-Baptiste cherche encore son or et qu'il revient hanter les environs tous les mois d'octobre. Le pire, dans tout ça, c'est qu'il avait raison, le vieux ! Tout ce temps-là, il avait les deux pieds sur le filon que les gars du ministère ont repéré !

C'est dans un silence compassé que nous poursuivîmes notre marche. Je songeais combien il est pathétique qu'une idée fixe puisse conduire un homme à perdre la raison, puis à s'enlever la vie, quand, après avoir grimpé un sentier en assez mauvais état, nous parvînmes enfin au premier campe. Je fus surpris de trouver la porte grande ouverte et ne pus retenir un frisson à l'idée folle que ce pût être le fantôme qui l'avait laissée ainsi. Pierre, comme toujours, perçut mon sentiment et me rassura en souriant.

— T'inquiète pas, elle est toujours ouverte. Ce camp-là existe depuis au moins cent ans : il a été construit par un bonhomme qui trappait l'ours. Depuis, il y a toujours eu du monde pour l'entretenir et il sert de refuge aux chasseurs et aux promeneurs. Viens, je vais te faire faire le tour du propriétaire.

Je le suivis dans la cabane, m'attendant presque
à y trouver une corde de chanvre encore accrochée
à une poutre. En voyant l'intérieur assez propre,
garni d'une table bancale et de deux chaises dépa-
reillées, je retins un rire. Quel peureux je faisais!
Un vieux poêle à bois, de ceux qu'on appelle
«truies» à cause de leur forme suggestive, trônait
au milieu de l'unique pièce. Son tuyau montait tout
droit et frôlait le plancher d'une petite mezzanine
qui servait, m'expliqua Pierre, de chambre à coucher aux jeunes qui venaient parfois y passer la
nuit, l'été. Sans doute laissés là par les derniers
visiteurs, des bougies et un jeu de cartes traînaient
sur l'appui de l'unique fenêtre.

— Et je n'ai jamais entendu parler de fantôme,
ajouta-t-il avec un sourire malicieux.

Nous grignotâmes un sandwich, prîmes une
lampée de whisky et, laissant nos provisions dans
un coin de la cabane, nous partîmes en expédition
dans les bois.

La chasse fut pauvre: une fois, deux perdrix
s'envolèrent sous notre nez, mais la surprise nous
empêcha de tirer. Les quelques échantillons rocheux
que nous examinâmes étaient intéressants au point
de vue strictement géologique, mais nulle trace d'or
dans ces roches sédimentaires où, tout au plus, un
peu d'oxydation révélait la présence de fer dans la
montagne. Cependant l'après-midi se passa dans un
tel climat de bonne humeur que nous ne vîmes pas
le soleil décliner. Il était assez bas quand nous

prîmes le chemin du retour ; nous avions marché très loin, en haut du camp de chasse, et c'est en nous pressant pour ne pas être surpris par la nuit que nous nous mîmes à redescendre. J'étais peu habitué à la randonnée en montagne et mes pieds maladroits glissaient sur les pierres et se prenaient dans les racines. Et puis, je l'avoue maintenant, l'histoire du fantôme m'avait impressionné. Malgré les avertissements de Pierre qui voyait bien ma maladresse, je marchais beaucoup trop vite. Soudain, une perdrix surgit devant moi en émettant son roulement caractéristique. Je sursautai, perdis pied et, tentant misérablement de retrouver mon équilibre sur le chemin trop escarpé, je finis par me tordre une cheville. La douleur m'arracha un cri, mes yeux se remplirent de larmes. Pierre dégringola jusqu'à moi et enleva ma botte, puis ma chaussette.

— Ouais, ben ! C'est une bonne foulure. Ta cheville est déjà toute bleue. On ne peut pas redescendre comme ça, Louis. On va coucher au premier campe et demain, je vais aller chercher quelqu'un pour te ramener. Là, il va faire trop noir pour marcher dans le bois. Allez, appuie-toi sur moi.

Nous atteignîmes cahin-caha la cabane, qui nous sembla un havre de délices tant la dernière partie de la marche avait été pénible. Pierre ramassa du bois sec tout autour et, après avoir allumé la truie, nous soupâmes des derniers sandwiches et des pommes de madame Leblanc. Mon ami, avec sa bonne humeur habituelle, me dérida assez vite et, entamant sérieusement la bouteille de whisky, nous nous mîmes à refaire le monde à la lumière d'une bougie. L'ivresse me gagnant, mon pied me faisait moins souffrir et je finis par me réjouir tout à fait de cette aventure qui serait, ma foi, bien bonne à conter à notre retour de vacances.

Nous en étions à régler le sort de l'Afrique noire quand, écarquillant les yeux, Pierre me fit signe de me taire. Dans le silence subit, froissé seulement par le crépitement du feu dans le poêle, nous tendîmes l'oreille. Rien.

— Voyons, t'hallucines, mon vieux. Tu bois trop! ricanai-je en remplissant nos verres en plastique. Non, tu vois, le vrai problème de l'Af...

— CHUT!

Et là, dans la nuit, nous entendîmes. Une terreur blanche m'empoigna la nuque. C'était un gémissement. Pas comme le vent dans les arbres, non: nous nous en serions aperçus assez vite. C'était un vrai gémissement humain, un pleur pour être plus précis, un pleur désespéré. Pierre était aussi terrorisé que moi. Quelle heure pouvait-il bien être? Minuit? Une heure? Il était tard, en tout cas. La voix semblait se rapprocher.

Instinctivement, je me levai pour prendre mon fusil.

— Tu serais peut-être mieux avec un crucifix, murmura Pierre, mi-figue, mi-raisin. Des fois que ce serait le fantôme.

— Lll... le fff... fantôme?

Nous déglutîmes et un commun mouvement nous fit nous tourner vers la porte. Et comme nos regards touchaient le panneau de bois, trois coups résonnèrent : BOM ! BOM ! BOM ! Tétanisés par la peur, nous ne fîmes aucun mouvement. La voix nous parvint de nouveau, mais cette fois-ci, elle ne pleurait plus :

— S'il vous plaît, ouvrez la porte !

C'était une femme.

Vous dire le soulagement ! C'était comme si tout à coup on nous débarrassait d'une chape de plomb. Pierre courut ouvrir la porte. Elle n'était pas verrouillée, mais la jeune femme apeurée n'avait sûrement pas eu la présence d'esprit de vérifier. De mon côté, je sortis un troisième verre en plastique. La visiteuse s'assit dans l'échelle qui conduisait à la mezzanine et tendit ses mains au-dessus du poêle. C'était manifestement une Indienne : les yeux et les cheveux très noirs, le teint cuivré, le corps fin, les lèvres pleines, le nez droit, les pommettes hautes, elle était vraiment très belle. Je lui offris un verre de whisky, qu'elle prit avec reconnaissance.

— J'avais froid.

Elle avait une voix chaude, un peu gutturale, le genre de voix qui fait des promesses…

Pierre s'enhardit un peu en l'entendant parler.

— Veux-tu bien me dire qu'est-ce que tu faisais là en pleine nuit comme ça ? On t'a entendue pleurer.

— Je levais des collets. La noirceur a pris. Je trouvais plus mon chemin. Mon nom c'est Marie. Marie Jérôme. La fille à Simon Jérôme.

In vino veritas. La jeune femme se réchauffa peu à peu, le whisky fit son œuvre et, avisant le jeu de cartes, Pierre proposa une partie. Les pokers s'enchaînaient et la bouteille déclinait. Nous étions tous les trois très ivres quand, nous lançant un regard égrillard, Marie se mit à déboutonner sa chemise.

— Eh! Qu'ess tu fais? chuintai-je. Tu veux jouer au strip-poker?

— Ouais, dit-elle. A chauffe pas mal, votre truie. J'ai trop chaud. Ça vous dérange pas?

— Non, non...

Pierre trouva l'idée excellente.

— Ouééé! On joue au strip! C'est moi qui brasse. La pisse est à un morceau.

Quand la bouteille fut vide, nous étions tous les trois nus comme des vers et Marie, assise sur les genoux de Pierre, l'embrassait à lui toucher les amygdales tandis qu'il lui malaxait les fesses à pleines mains. La jeune femme me regardait par-dessous ses cheveux. Ses yeux m'embrasaient, ainsi que le spectacle lascif qu'elle et mon meilleur ami offraient.

— Tu viens pas nous trouver, Louis? chuchota-t-elle au bout d'un moment.

Hypnotisé, je me levai et allai les rejoindre en boitillant. Nous roulâmes par terre tous les trois.

C'est la soif qui m'éveilla le lendemain matin. Pierre et moi étions allongés par terre, nus, sur nos vêtements pêle-mêle. La fille n'était plus là. Ma cheville m'élançait presque autant que mon crâne. Pierre se leva à son tour et, dans un silence gêné, nous nous rhabillâmes.

— Je vais chercher de l'aide pour te ramener, dit-il simplement avant de disparaître dans le contre-jour.

Je demeurai seul environ deux heures, méditant sur ce qui était arrivé durant cette étrange nuit. C'était comme si nous avions été ensorcelés. J'espérais seulement que cette aventure ne briserait pas notre amitié, à Pierre et moi! La gueule de bois me rendait pessimiste. Pierre revint enfin avec monsieur Landry et nous redescendîmes tant bien que mal jusqu'au village. Le bonhomme nous fit entrer chez lui et nous offrit le café. Puis, curieux, il nous demanda si nous avions vu le fantôme.

— Ben, dit Pierre avec un petit rire gêné, on n'a pas vu le fantôme, mais on a eu de la drôle de visite.

Et il lui conta notre aventure, en omettant bien entendu les événements qui avaient suivi la fin de la bouteille de whisky.

— Marie Jérôme? C'est ça qu'a l'a dit qu'était son nom? dit Landry.

— Oui. Elle dit qu'elle est la fille à Simon Jérôme.

— Simon? Simon Jérôme, vous dites?

— Ben oui, c'est ça. Qu'est-ce qu'il y a?

Le bonhomme se signa.

— Jésus-Marie, les p'tits gars! Simon Jérôme, c'était l'Indien à Jean-Baptiste Bernard! Sa fille a été la maîtresse de c't'e gars-là, avant qu'y vienne fou. A l'était là quand ils l'ont retrouvé pendu. Après ça, 'est v'nue folle elle aussi. A s'est rentré son couteau dans le cœur juste à côté de la cabane. Ça fait cinquante ans cette année.

LA CRAPOTE

Connaissez-vous l'histoire du crapaud métamorphosé en princesse? Moi non plus. Moi, je ne connais que celle du crapaud qui est resté un crapaud.

Je suis laide.

Vous me dites comme les autres: «Mais non, tout le monde est beau à sa façon, tu as ton charme à toi.» Bien sûr que vous essayez de me convaincre que j'ai *un petit quelque chose de spécial*. Mais non. Je n'ai pas ce *petit quelque chose*-là. Je suis non seulement laide, mais je n'ai aucun charme. Aucun, vous dis-je. Vous aurez beau chercher, vous ne trouverez rien. Rien.

On s'extasie devant les bébés. Que l'on croise une poussette, on étire le cou, on sourit, on fait tout pour que le véhicule s'arrête — ce que s'empresse de faire la personne qui en tient les poignées, ivre d'amour —, on se penche et on s'écrie: «Qu'il est joli! Quel sourire! Oh, les beaux yeux bleus! Les mignonnes fossettes! Le nez choupinet! Les petites menottes! On le croquerait tout cru!» N'est-ce pas?

Devant moi, on disait: «Heu... Elle a l'air éveillée...» Et l'on se dépêchait de prétexter quelque course urgente avant de s'éclipser, soulagé que la mère n'ait pas tenté de vous retenir.

Je vous dis que je le sais, que je n'ai aucun charme. J'en ai connu, des filles laides, qui avaient du charme. Une, très grosse, avait un tel sourire, une telle exubérance, une telle façon d'assumer ses rondeurs qu'on faisait pratiquement la queue pour profiter de ses appas. Une autre, moche, toute en hauteur, maigre, avec des seins comme des galettes, son regard brillait de tant d'intelligence que l'on se pressait pour boire les paroles d'or qui sortaient de sa bouche. Et Chose, là, dont les deux yeux se foutaient l'un de l'autre, avec ses fonds de bouteille et son acné: sa drôlerie lui valait d'être le centre d'intérêt de toutes les réunions. Puis, il y avait Machine, pas si moche mais aucun sex-appeal, dont les qualités de meneuse l'ont conduite carrément à la tête d'un parti politique. Il y en a même une qui est née avec une paralysie cérébrale et qui a su, malgré les spasmes grotesques et le débit pâteux imposés par la maladie, devenir comédienne, et à succès par-dessus le marché. Puis celle qui gagne des médailles olympiques avec un seul bras et une seule jambe et qui sort avec un chanteur rock. Je les revois toutes, aujourd'hui, ces filles-là, mariées, mères, certaines ont même des amants — la grosse en a deux —; elles vont et viennent entre leurs belles maisons pleines de rires et leurs carrières si enrichissantes. Tout ça grâce au *petit quelque chose de spécial* que tout le monde a, mais que je n'ai pas.

Je suis aussi distrayante qu'une porte de prison, m'a dit un jour mon père, désespéré. D'ailleurs, il a quitté la maison avant la fin de mon adolescence. C'est bien évident qu'avec un grand cadavre comme moi dans la maison, il s'ennuyait à mort. Il a rencontré une femme avec qui il vit maintenant. Ma demi-sœur passe demain en finale de *Star Académie*. Il paraît qu'elle a une grande carrière devant elle.

Ma mère a tout fait pour me rendre un peu plus attrayante. Orthodontie, cours de danse et de piano, coloration des cheveux, permanentes, jogging, yoga, régime Scarsdale, diète protéinée, cure de pamplemousses, Montignac, Weight Watchers, Minçavi, huit verres d'eau par jour, stages de croissance personnelle, scouts, 4-H, baladi, salons d'esthétique à quatre cents dollars la séance, psy, métamorphose télévisée, magasinage intensif chez Holt Renfrew, tout. Rien n'y a fait. Rien, parce que je suis naturellement et irrémédiablement inintéressante.

Nulle.

Regardez-moi. Regardez-moi entièrement. Allez-y, ne vous gênez pas. Et cessez de regarder votre montre comme ça. Nous avons tout notre temps. Bon. Cette boule ronde, parsemée d'une pilosité terne et sans tenue, le plus souvent gorgée de sébum, c'est ma tête. Posée sur un cou sans grâce, elle se prolonge à peine, sur le devant, par un menton presque inexistant, malgré les efforts si coûteux du meilleur orthodontiste en ville, qui a fini par déclarer forfait. Cela me donne une bouche dont la lèvre supérieure avance sur l'inférieure, un peu à la manière d'une babine de lamantin. Le nez, par contre, me devance d'un bon quart d'heure quand j'arrive quelque part. Il est large aussi, et couvert de points noirs qu'une armée d'esthéticiennes n'a jamais réussi à éradiquer, et qui s'épanouissent régulièrement en furoncles. Au-dessus de cet appendice se rejoignent deux organes qui n'ont pour seul avantage que de me permettre de vous regarder en face : paupières tombantes, cils à peu près inexistants, le tout posé sur deux globes à moitié exorbités dont les iris hésitent entre un gris et un brun sans consistance. Pour achever le portrait, un seul sourcil, plus bas à gauche qu'à droite, dont l'épilation pourtant soigneuse n'a jamais suffi à modérer la repousse galopante, et qui sépare de ce visage un front légèrement bombé. En plus, allez comprendre pourquoi, je ne suis pas très souriante. En fait, j'arbore le plus souvent ce qu'on appelle un air de bœuf.

On continue ? Vous êtes prête ? Vous n'avez pas le choix de toute façon. Passons au tronc. En dépit de tous les coups d'index portés par mon père entre mes omoplates, accompagnés d'un sec «Tiens-toi droite ! », mes épaules évoquent la bouteille de beaujolais typique. Vis-à-vis de l'aisselle (où erre toujours un vague relent d'âcreté), mes seins prennent leur départ pour une vertigineuse glissade vers le bas. On dirait des testicules de vieux monsieur greffés là par erreur. Deux sacs oblongs qui se terminent chacun par une tache rosâtre qui ressemble plus à une ancienne brûlure qu'à un mamelon. Sous mes seins, un ventre mou s'évase en un seul bourrelet qui tend lui aussi à retomber, tel un tablier qui masque la moitié de mon pubis — qu'on ne perd rien à ne pas apercevoir, vous vous en doutez. Ce ventre, il paraît que certaines femmes en héritent d'un tout pareil après une ou deux grossesses. Mais je n'ai même pas la grâce de profiter des câlins d'un enfant en échange de cette baudruche dégonflée, puisqu'elle est juste le résultat de tous ces régimes draconiens entre lesquels ma nature adipeuse a redoublé de ténacité. Ces temps-ci, je suis moins grasse, alors mon ventre pend.

Je tourne sur moi-même. Voyez-vous? Là où les fesses devraient normalement prendre place, on n'en trouve que la suggestion. Un presque cul dont ne témoigne en fait que la raie, les cuisses tels deux boudins rattachés directement au dos. Revenons devant. Soulevons un peu le ventre. Attendez un peu que j'ouvre cette fermeture Éclair. Voyez vous-même. Je livre depuis ma puberté un combat acharné contre une pilosité touffue qui court sur tout mon corps — front, joues, lèvres, menton, cou, abdomen, cuisses, jambes —, partout SAUF sur mon pubis. Cette vulve brune aux lèvres protubérantes, elle aurait bien mérité qu'une toison salvatrice vienne y déposer un petit repeint de pudeur. Mais non. Elle est là, obscène, pratiquement béante, à peine chargée de quelques touffes clairsemées.

Terminons la visite. Je parcours cette vie sur des jambes torses aux genoux cagneux. Évidemment. Mes pieds, comme mes mains, larges et trapus, arborent des doigts courts et des ongles pleins de bosses, comme si on les avait martelés avant de les poser là. Voilà qui complète le portrait. Ah! Quand même. Regardez mes dents: elles sont blanches et droites. Mais elles jurent tellement avec le reste que ça les ramène au rang des handicaps.

Vous allez me dire: «Mais ce n'est que ton enveloppe corporelle. Cette façon dont tu viens de te décrire prouve que tu as de l'esprit.» C'est ce que vous avez envie de me dire, vous et les autres. Alors?

Alors non.

Mon esprit demeure enfermé dans ma tête. Dès que j'ouvre la bouche pour parler, et pas trop grand parce qu'avec tous les chantiers qu'on a entrepris dedans j'ai fini par développer des bactéries qui causent la mauvaise haleine, je bafouille. Je suis bègue. Tous les beaux mots que je connais restent sous clef dans ma mémoire, thésaurisés comme ça, pour personne. Vous êtes le premier être humain à qui je réussis à m'adresser sans trébucher. C'est sans doute à cause des circonstances. Toute seule avec vous dans cet endroit clos, cela doit me donner de l'assurance.

Que j'écrive? Ah, mais j'ai essayé, ça aussi. Impossible. Syndrome de la page blanche carabiné. Je vous le jure, j'ai passé des heures devant des feuillets, des cahiers, des ordinateurs, des machines à écrire, même un dictaphone, rien n'y a fait. Le néant.

Et ne me parlez pas d'autres talents. Je n'en ai aucun. En dessin, je suis tout juste capable de faire un bonhomme allumette. Et encore, j'arrive à peine à placer les yeux au bon endroit. La musique? La seule particularité qu'ont mes oreilles, c'est d'être décollées. Et puis vous entendez ma voix, maintenant, convenez qu'elle n'a rien d'harmonieux. Alors pour reproduire des sons... Le sport? Ah, le sport. Je suis tellement maladroite que je suis capable de dégringoler en bas de mes pieds. C'est vrai! Ça m'est déjà arrivé. J'étais tellement nulle, à l'école, que lorsqu'on faisait les équipes de ballon chasseur, on se battait pour ne pas hériter de moi, «la crapote» comme on m'appelait.

Rien, je vous dis. Je n'ai rien. Pas d'emploi: personne ne veut aller plus loin avec moi que l'entrevue d'embauche, qui est d'ailleurs généralement plutôt courte. Pas de diplôme: harcelée par mes camarades, j'ai préféré arrêter les études avant la fin du secondaire. Pas de famille: ma mère est morte et mon père est occupé avec ma demi-sœur qui, elle, ne veut surtout pas s'encombrer d'une parenté de ma sorte. Et je n'ai pas d'autres frères ni sœurs: après moi, mes parents en ont eu assez. Peur de l'hérédité, sans doute. Pas d'amis : ai-je besoin de vous expliquer pourquoi ?

Mais vous... Vous avez tout, vous. Comme je vous vois, assise là, dans votre robe à mille dollars impeccablement coupée, sur la banquette en cuir de cette superbe voiture, avec cette chevelure brillante qui foisonne sur vos épaules bien droites, avec votre visage à l'ovale parfait où brillent de grands yeux verts en amande, avec ces seins pigeonnants, ce ventre plat, ces jambes fuselées, ces doigts fins et manucurés, vous avez tout pour plaire, vous. Je vous ai entendue rire : un ruisseau qui jaillit des glaces au printemps. Vous chantez divinement, votre carrière de soprano monte en flèche. Mari avenant et tendre, petit garçon adorable, amis fidèles, famille unie, diplômes universitaires et médailles sportives trônent au tableau de vos succès. Bravo.

Vous tremblez ? Il ne faut pas. Ne sommes-nous pas bien, là, sur cette banquette ? C'est bien un petit frigo que je vois, ici, entre les deux sièges avant ? Il y a sûrement du champagne, là-dedans. On pourrait se prendre une petite coupette. Non ? Dommage.

Détendez-vous. Je sais que c'est difficile avec un canon sur la tempe. Mais je ne veux pas aller trop vite. Pour la première fois de ma vie, je vais faire une action d'éclat. On va me remarquer. On va parler de moi dans les journaux. On va m'appeler par mon nom. C'est important, ce qui se passe aujourd'hui. Il faut soigner ce genre de choses. J'ai plusieurs avenues possibles. Je crois que je vais toutes les prendre, en fait. Oui.

Mais non, ne criez pas. Vous savez bien que c'est inutile. À part peut-être pour casser votre jolie voix d'ange. Qui vous entendra ? Ces terrains contaminés n'attirent pas grand monde. Voyons voir ce qu'on a dans cette mallette. Votre vêtement est fait de fibre synthétique, non ? Cela brûlera très bien avec ce simple briquet. Cessez de vous agiter. J'enlèverai les lambeaux restants avec cette petite lame. Bien sûr que cela vous tailladera la peau. Ensuite, nous raserons votre chevelure avec cette tondeuse à toilettage canin. C'est cocasse. Je vous toilette à l'envers. Et pour le dessert, qu'est-ce qu'on a ? Oui, une jolie petite fiole de vitriol. Après ? Mais c'est tout, ma chère. Après, je vous libérerai, tout simplement. Mais si.

Quel besoin aurais-je de vous tuer ?

LA MESSE

Cela avait commencé par un simple baiser. Un tout petit baiser donné du bout des lèvres, pour jouer. Et ce tout petit baiser donné du bout des lèvres, juste pour jouer, avait immédiatement incendié tout leur être. Électrifiés, ils s'étaient reculés un instant, à peine une seconde, histoire de voir l'autre dans les yeux, histoire de vérifier si on n'avait pas rêvé cette épiphanie. Regards scrutateurs, scanner de l'âme. Non, on n'avait pas rêvé. Le divin était là, sur les lèvres de l'autre. Puis, sans se perdre des yeux, ils avaient ressoudé leurs bouches, tendre contre tendre, doux contre doux, souffle contre souffle. Elle se souvenait d'avoir fermé les yeux et de s'être sentie portée comme dans les bras d'un ange, légère et vaporeuse. Il avait touché sa langue le premier. Nouveau choc. Elle s'était dit que si cette charge de désir s'intensifiait encore, elle allait peut-être faire une syncope. Mais si la main grande ouverte qu'il avait posée ensuite au creux de ses reins pour l'étreindre d'encore plus près avait fait monter le vertige d'un cran, elle ne s'était pas évanouie pour autant. Non. Elle avait gémi, s'était plaquée contre lui, avait passé ses bras autour de son cou. Combien de temps cela avait-il duré? Une minute, une heure. L'éternité.

Elle s'agita sur son banc. L'élastique de son collant noir la gênait. Elle aurait dû prendre les autres, les cuissards. Pourquoi ne portait-elle pas uniquement des cuissards? C'était tellement plus confortable. Et sexy. *Un collant, cela vous boudinerait même si vous faisiez la taille zéro.* Alors elle, en collant... Il avait aimé cela, lui, ces petits secrets qui leur appartenaient, les dessous dont elle lui faisait la surprise, les bas jarretières qu'elle enlevait très lentement, son petit pied potelé à elle sur son genou à lui. Il avait ri, la première fois qu'il avait passé la main sous sa jupe pour découvrir qu'elle n'avait rien dessous, puis il lui avait envoyé, derrière ses lunettes de myope, ce regard qui la liquéfiait chaque fois, et il l'avait caressée un instant, sans quitter la route des yeux, et elle s'était laissé aller aux suaves sensations provoquées par les doigts amoureux. Il lui était arrivé souvent, par la suite, de jouer ce petit jeu, de ne rien porter sous sa jupe, parfois en public, et de le lui glisser à l'oreille à un moment incongru. Il rougissait, mais elle voyait immédiatement briller dans son œil la petite lueur lubrique qu'elle connaissait. Ces fois-là, elle avait l'impression qu'il lui faisait l'amour, carrément, juste du regard. Hum, elle aurait dû mettre des cuissards et rien sous sa jupe. Pour lui faire plaisir.

Des gens toussaient. *Pourquoi tout le monde tousse toujours dans les églises? Dans les salles de concert aussi, ça tousse beaucoup. C'est agaçant.* Toute la ville était là, sur son trente-six, faisant semblant d'écouter les témoignages larmoyants de ceux qui avaient connu le mort. Bande d'hypocrites. Non, pas tous quand même. Elle entendait des reniflements, voyait des gens se passer des kleenex sur les yeux. Curieusement, elle, elle ne pleurait pas. Elle était là, avec cet incendie de douleur qui lui labourait le ventre, elle observait. Elle s'observait, elle, en train de vivre cet événement-là. *Ce sentiment de sortir de soi. Une des nombreuses astuces du cerveau humain pour ne pas devenir fou devant l'insupportable. On flotte à côté de soi, on se regarde aller, on éprouve une certaine compassion pour soi-même. Et c'est tout. Pour l'instant. Le chagrin vous submerge quand tout est fini, des semaines plus tard, au moment où vous ne vous y attendez plus.* Elle connaissait bien tout cela, elle qui avait eu sa part de deuils déjà.

La chorale chantait que l'agneau de Dieu enlevait le péché du monde, supportée par la voix grêle de la soprano de service. Qu'elle détestait ces chœurs de mémères qui s'égosillaient béatement, sans véritable amour de la musique! Et ces airs de messes à gogo, l'horreur. Pourquoi ne lui avait-on pas offert une messe de Bach, à lui qui avait tant aimé ce compositeur? Celle en *si mineur*, par exemple, avec son *Agnus Dei* tellement parfait. On s'en fout que ce soit du latin. La musique a-t-elle besoin d'une langue autre que la sienne propre pour être entendue? Oui, Bach aurait été parfait pour l'occasion. Pourtant ce n'était pas l'air qu'elle avait en tête en ce moment. Elle songeait à la chanson de Tom Waits qu'il lui avait fredonnée quelques fois, alors qu'elle s'alanguissait contre son flanc, à un fil de dormir tout à fait. Il se penchait si près de son oreille que sa respiration faisait voleter les cheveux follets que leur fête amoureuse avait éparpillés sur l'oreiller. Et il murmurait, de sa voix grave, un peu rauque, avec son drôle de trémolo, la douce berceuse: «*And if I have to go, will you remember me? Will you find someone else if I have to go?*» Elle se blottissait alors comme un chat au creux de son épaule, le nez sur la peau qui sentait l'amour. Qu'aurait-elle répondu? «Non, non, mon cher amour, je ne vous aimais pas», citait-elle à la blague. Et elle ajoutait: «Qu'est-ce que tu racontes? Tu sais bien que je ne pense jamais à toi quand tu n'es pas là, de toute façon. Je vais t'oublier tout de suite si tu pars, et je vais me trouver un nouveau monsieur dans le temps de le dire.» Et il la serrait contre lui à l'étouffer, et il l'embrassait encore, et elle s'ouvrait de nouveau à la caresse comme une fleur au soleil, et il en était ainsi chaque fois que leurs bouches se touchaient depuis la première fois.

On allait communier. Elle se demanda si elle irait, elle, et puis elle décida que non. Ni lui ni elle ne croyaient à ces choses. Pourquoi aurait-elle fait semblant cette ultime fois, alors qu'avec cet homme, elle avait été plus authentique qu'avec quiconque ? En sa présence, elle n'avait plus de complexes, son corps devenait celui d'une nymphe, elle en sentait les courbes fluides lorsqu'il en flattait les contours, elle osait tout, son regard sur elle la rendait parfaite. Divine. Les gens défilaient, manteaux de laine et chapeaux de fourrure, parfums écœurants, effluves de fixatif, *Seigneur que ça peut puer du parfum*. Elle ferma les yeux, prise d'une réminiscence olfactive. Son odeur à lui. Sa sueur, sa peau, son sexe, son haleine, partout, tout lui, tout lui sentait merveilleusement bon. Elle lui avait déclaré, une fois, alors qu'il s'étonnait de la voir tant aimer son odeur : « Je te boirais à la paille ! » Il souriait, attendri, devant cette hyperbole. Ils s'amusaient souvent de leurs figures de style favorites : elle raffolait des figures d'exagération, lui était plutôt litote. Ce n'était pas un bavard. Généreuse, elle avait exprimé alors pour eux deux tous les élans, les serrements de cœur, les vœux fous, les mots doux, les serments qu'il ne lui faisait pas. Elle ne lui en voulait pas de ce silence. Son regard, ses mains, sa présence avaient suffisamment d'éloquence pour elle. Son ventre se serra au souvenir de la paume chaude posée immobile juste en haut de son mont de Vénus. Elle réprima un soupir en se tortillant sur son banc.

Bon, tout le monde debout. Assis. Debout. Assis. Debout. Assis. Elle restait assise, elle, puisque ces simagrées n'avaient pas de sens pour elle. Elle se recueillait autrement. On entamait la prière : « Notre Père qui êtes aux cieux… » « … Restez-y ! » dit-elle pour elle-même, avec un sourire pour Prévert : « Et nous nous resterons sur la Terre, qui est quelquefois si jolie. » *Oui, je reste sur la Terre. Et oui, elle est jolie. Si jolie avec notre amour dessus. Notre amour, il restera, lui, sur la Terre ? Même si nous ne sommes plus tous les deux ensemble, notre amour, il restera ? Est-ce qu'il s'en va maintenant avec la fumée de l'encens qui tourbillonne au-dessus de ton cercueil ? Ou bien vas-tu l'emporter avec toi au pays des ombres ?* Elle avait bien fait de rester assise. Les genoux lui auraient peut-être manqué, là, alors qu'elle imaginait leur amour ne plus exister. Comment cela aurait-il été possible ? Il avait été tellement charnel, cet amour, si incarné. Il allait vivre toujours, lui. Ou simplement disparaître avec le dernier des deux qui partirait. Avec elle.

Oh, mon Dieu. Ils déplaçaient le cercueil, maintenant, les porteurs s'approchaient. Ses frères, son fils. Le cortège s'ébranla. Le curé impassible avec son encensoir, flanqué des deux porteurs de cierges, le cercueil porté par des gaillards éplorés, la fille, l'épouse du défunt, le reste de la famille, et puis toute la smala. La porte s'ouvrit sur un soleil d'hiver aveuglant. Elle cligna des yeux, debout dans sa rangée, la dernière. Elle attendait son tour pour suivre la procession, mal à l'aise de n'être pas sortie avant, de s'être laissée surprendre. Maintenant, elle n'avait plus le choix de faire comme les autres et d'emboîter le pas. Elle gardait la tête baissée, ne sachant où poser ses yeux. *Ma place n'est pas ici. Ma place n'est pas ici.* Elle se rendit compte que des larmes coulaient sur ses joues et voulut les essuyer, mais un mouvement, ou plutôt une absence de mouvement, attira son attention.

Le cortège s'était arrêté. Ses yeux rencontrèrent une paire de bottes à talons noires, un manteau de fourrure, des mains gantées de kid, un carré de soie, un visage surmonté d'un chapeau assorti au manteau, et dans ce visage, une bouche et des sourcils. La bouche pliée d'amertume, les sourcils froncés. *Sa femme.* Sa femme qui s'était arrêtée, qui avait arrêté tout le cortège et qui la considérait, elle, avec le plus évident, le plus absolu mépris. Les rides qui encadraient la bouche couverte de rouge à lèvres écarlate s'écartèrent pour laisser tomber cinq mots qui vinrent s'écraser aux pieds de la jeune femme où ils explosèrent en une multitude d'éclats de métal dont les pointes se fichèrent toutes sans exception dans sa poitrine. Cinq mots pour effacer tant de caresses émues, tant de matins éblouis, tant de bonheurs émerveillés. Cinq mots pour tuer l'amour.

— Pis en plus, 'était grosse.

LA FALAISE

— Qu'est-ce qu'il a, celui-là?

— C'est un débile léger. Syndrome d'Asperger, je pense.

— Qu'est-ce qu'il fait ici? Il aurait pu fonctionner dehors, non?

— Il a violé et tué une petite fille de huit ans.

— En tout cas, avec ce que tu viens de lui donner, il doit se sentir le débile pas mal plus léger que tout à l'heure.

L'infirmier jette au stagiaire un regard acerbe. Celui-ci, troublé, conduit la civière sans regarder où il va. Elle heurte violemment le coin d'un mur. Dans le couloir froid à l'odeur mouillée d'urine, le bruit se répercute comme l'écho d'un baril vide.

La reine Marie descendait gravement les marches de son palais. En silence, elle considérait le nouveau venu.

— *Ami ou ennemi?*

— *Ami.*

— *Si tu veux me servir loyalement, tu seras mon chevalier. Le veux-tu?*

— *Oui.*

La reine interrogea du regard madame Chloé, sa garde personnelle, qui manifesta son assentiment.

On était en juillet.

Le débile léger s'accroche aux draps de son lit.

— Où c'est qu'elle est, dit-il, où c'est qu'elle est, la reine Marie? J'suis son chevalier, c'est moi qui défends son palais, c'est moi!

L'infirmier s'approche, le calme, lui dit qu'il faut dormir et qu'il doit donner son bras.

— Tiens, c'est beau, mon homme. Tu vas dormir, là.

La lune d'août vient d'entrer par la fenêtre.

Le siège durait depuis maintenant vingt jours. Les provisions commençaient à manquer. La reine s'inquiétait, non pour elle, mais pour son chevalier et pour madame Chloé. Qu'allaient-ils devenir? En bas des remparts, la mer du camp ennemi s'étendait à l'infini. Tous ces grains de sable, tous ces galets,

toute cette eau, c'étaient des soldats armés jusqu'aux dents qui n'attendaient qu'un relâchement dans la vigilance de la garde pour attaquer.

C'est alors que vint un homme. Il avait de grosses mains, c'est ce que la reine vit en premier, des mains énormes, comme celles de son chevalier. Mais cet homme-là savait les tenir, ses mains. Elles ne bougeaient pas gauchement ni ne pendaient mollement ainsi que les mains du chevalier. C'étaient des mains fières d'homme sain.

— Qui es-tu, manant? lui cria la reine du haut des remparts.

— Je suis Robert, le cousin de ton père. Salut!

— Salut. Je suis la reine Marie. Voici mon chevalier Charlot et la fidèle chef de ma garde, madame Chloé.

Madame Chloé aboya pour confirmer.

— Cette falaise est mon palais, poursuivit la reine. Nous sommes en état de siège. Veux-tu devenir toi aussi mon chevalier et me servir loyalement?

L'homme se mit à rire avec un geste de dénégation.

— Ma reine, dit-il en dévoilant ses dents, votre mère m'envoie vous signaler qu'il sera bientôt l'heure de votre bain et qu'elle vous attend.

Il remonta ensuite par le petit sentier qui serpentait entre les cèdres tordus par le vent, riant toujours.

— On les a trouvés de bonne heure le matin, il la tenait dans ses bras en pleurant. Il braillait comme un veau pour de vrai, fort, fort. Elle était déjà froide. D'après la police, il a dû passer une partie de la nuit à la bercer comme ça. Après l'avoir violée puis étranglée. As-tu pensé ? Elle avait juste huit ans. C'est dégueulasse.

— Qu'est-ce qui a bien pu le pousser à faire ça ?

— Bah ! Comment est-ce qu'on peut savoir ce qui se passe dans la tête de ce monde-là ? C'est comme une rage qui les pogne, j'imagine. Il risque plus de tuer personne, maintenant. On l'a rendu doux, doux, doux. C'est super la médecine moderne. Regarde-lui les mains. Il a pas dû avoir besoin de serrer longtemps, avec ces pattes-là.

— C'est vrai qu'il a des grandes mains.

Il dort. Une de ses si grandes mains pend mollement en dehors du lit. L'autre est encore agrippée au drap. Une lune blême éclaire des traces de larmes séchées sur son visage. Il a pleuré parce qu'on ne le laissait pas voir la reine.

Après avoir salué son brave chevalier selon le protocole, la reine remonta le sentier, madame Chloé derrière elle. Comme tous les soirs depuis le début du siège, c'était la trêve.

La reine-mère l'attendait juste en haut.

— Alors, Marie, Robert me dit que tu as un nouvel ami ? C'est qui, ce garçon-là ? Pas l'attardé, quand
même ?

— Non, mon homme, non. On sort pas avant
l'heure. Tu vas aller dehors avec les amis cet après-
midi. Pas avant.

— Charlot veut entendre le vent. Le vent dans
la mer. Charlot veut entendre le vent !

— Y a pas de mer ici, mon homme. Pas de vent
non plus. Les murs autour de la bâtisse nous pro-
tègent du vent. T'as pas besoin d'avoir peur. T'es
à l'abri, ici.

— L'a... bri ?

— Oui, à l'abri. Donne ton bras. On va te calmer
un peu, là. Tu t'agites.

*La reine-mère s'était informée au sujet du cheva-
lier Charlot. Comme il était simple d'esprit, elle s'était
inquiétée de son aptitude à défendre le palais de sa
fille. La reine Marie avait bien essayé de la rassurer,
mais en vain. Défense fut faite à la jeune souveraine
de revoir le chevalier. Robert le cousin s'offrit comme
remplaçant et, sur les conseils de sa maman, la reine
accepta. Et le chevalier Charlot, comme une âme en*

peine, en fut réduit à venir errer, aux aurores, au bas des remparts de la falaise, dans l'espoir d'entendre ne fût-ce que le premier bâillement d'éveil de sa reine bien-aimée. Il contemplait ses grandes pattes gauches et se désolait qu'elles ne fussent pas dignes et fières comme celles du cousin, comme celles d'un homme sain. Le cousin Robert, qui était désormais le seul protecteur de la reine Marie, et qui venait jouer avec elle sur la grève déserte.

— Regarde, c'est sa photo. C'est la petite, dans le journal.

— Tu lis ça, ces saletés-là ! Laisse pas traîner ça ici. S'il fallait qu'il tombe là-dessus…

— Regarde, on voit les marques sur le cou. Y a pas de doute, hein, c'est lui. Y a vraiment juste des grandes mains comme les siennes qui peuvent faire ça.

Ce matin-là — un peu avant l'aube, en vérité —, Charlot avait décidé d'aller voir du côté de la falaise, au cas où la reine Marie et madame Chloé auraient été seules pour une fois. Il leur arrivait de descendre le sentier bien tôt. Savait-on jamais? Peut-être auraient-elles senti la même urgence que lui et seraient-elles venues à sa rencontre?

Le cousin Robert ne les lâchait plus. Même le soir après souper, maintenant. C'était nouveau, cela. La reine-mère n'avait jamais laissé sa fille aller jouer dans la falaise après le souper auparavant. Le pauvre chevalier les épiait derrière la dune, il voyait le cousin qui prenait la reine contre lui, qui la serrait très fort, qui la retenait alors qu'elle voulait partir. Il les regardait, et il avait tellement envie d'intervenir, mais il n'osait pas parce que c'était interdit.

Mais il revenait toujours quand même, au crépuscule et à l'aube, rempli de l'espoir fou que, pour une fois, sa reine serait seule, et qu'elle l'inviterait de son beau sourire de reine à venir le rejoindre. Alors, il marchait jusqu'à la dune et s'accroupissait pour guetter la falaise. Cette fois, il lui sembla que la chance lui souriait. Il apercevait madame Chloé, assise sur les galets, au garde-à-vous près d'une forme colorée étendue près d'elle. C'était la reine Marie, cette forme. La reine Marie qui dormait sans doute, vêtue de cette petite robe bleue et rouge qui la rendait tellement jolie. Il scruta soigneusement les environs. Un soleil rouge ensanglantait la mer, à l'horizon. Pas de cousin Robert dans les environs, apparemment. Ses vacances par ici étaient peut-être finies ? Il était retourné chez lui, en ville, et maintenant la reine Marie faisait une sieste sur les galets ?

Il se dit que s'il approchait tranquillement, il ne la réveillerait pas. Il s'assoirait simplement à ses côtés et la regarderait dormir, en grattant les oreilles de madame Chloé. Et quand elle se réveillerait, il lui *dirait qu'il était toujours son chevalier. Qu'il le serait toujours.*

Mais cela ne se passa pas comme ça. Lorsqu'il arriva près de la reine, il constata que ses membres étaient curieusement disposés. Il devait être bien inconfortable de dormir ainsi. Puis il vit les marques sur son cou, et les lèvres toutes bleues, et il comprit qu'elle ne respirait plus.

Alors, il la prit dans ses bras pour la bercer doucement. Et, le nez dans les longs cheveux châtains, il pleura.

Le débile léger a donné son bras comme on le lui a dit. Et maintenant il dort. Dans ce sommeil morphique, il est bien. Il est avec la reine Marie et madame Chloé. Il défend la falaise-palais contre les assauts de la mer-armée. Et il entend le vent.

LA BELLE VIE

«Sa mère était morte en lui donnant naissance.» C'est ainsi qu'il aurait voulu que débute son histoire. Cela lui aurait donné du mystère. Du croquant. Quelque chose d'intéressant. Si quelqu'un l'avait écrite, évidemment. Mais qui donc aurait voulu écrire son histoire, l'histoire tellement ordinaire de Serge Garant, dentiste?

Qui?

Certainement pas lui, en tout cas. Il n'était pas doué pour dire les choses de façon passionnante. À l'école, il avait toujours rendu des dissertations correctes, avec tout ce qu'il fallait aux bons endroits et des idées organisées logiquement, selon les indications du professeur. Des commentaires du genre «Très méthodique» ou encore «Argumentation efficace» fleurissaient ses copies. Mais jamais de: «Bravo! Travail original» ni de «Continuez de développer votre belle imagination». Il avait parcouru son cheminement sans se singulariser, obtenant dans toutes les matières des notes honorables (mais jamais spectaculaires) qui lui avaient permis, le moment venu, de choisir le métier qu'il voulait. Il avait opté pour la médecine dentaire parce qu'il s'agissait de la meilleure alternative pour lui : un job sûr, sans surprise, et qui rapporterait suffisamment pour espérer une retraite sans souci.

En dernière année d'université, il avait fait la connaissance de Marie-Josée, une jeune fille qui faisait un bac en administration, en allant s'entraîner au gymnase du campus. Elle était assez jolie, impeccablement mise (twin-set gris perle et pantalon bleu marine, chaussures neutres à talons plats), et ses cheveux bruns tombaient sagement sur ses épaules en un carré parfait. Ils s'étaient mariés exactement douze mois après avoir fait l'amour pour la première fois et avaient eu deux enfants en parfaite santé, un garçon et une fille, à trois ans d'intervalle. Le garçon se nommait Jean-David et la fille, Anne-Julie. Ils avaient tous les deux les cheveux bruns de leur mère et le sérieux de leur père. Jean-David jouait au hockey et réussissait bien à l'école. Anne-Julie évoluait dans une ligue de volley-ball interscolaire et réussissait aussi à l'école. Ils exécutaient de menus travaux pour gagner leur argent de poche. Les voisins du quartier neuf où ils habitaient ne tarissaient pas d'éloges sur ces adorables jeunes gens.

Ils possédaient une belle maison avec assez de pièces pour loger quatre familles comme la leur, meublée et équipée de manière à ce que tout soit fonctionnel et confortable, décorée avec goût mais sans flafla. Ils avaient justement payé une designer pour cela. La cour comportait un jardin paysager, une piscine et un jacuzzi — le jacuzzi était fonctionnel toute l'année. Deux berlines intermédiaires dormaient chaque soir dans l'entrée qu'un abri Tempo venait protéger tous les hivers. Le garage recelait quatre bicyclettes et le nécessaire pour les accrocher à une voiture, quatre casques de vélo, une petite remorque, un coffre à outils complet et presque neuf, un assortiment de ballons, des raquettes et des volants de badminton, ainsi que deux jeux de pneus « spécial neige et glace ». Au-dessus de la porte automatique, un panier de basket-ball demeurait à la disposition des besoins familiaux.

Chaque jour, après un petit déjeuner complet précédé d'une demi-heure d'exerciseur au sous-sol, Serge montait dans sa berline intermédiaire pour se rendre à sa clinique — il avait achetée celle-ci en copropriété, mais il regrettait un peu son associé, un fêtard farfelu assez imprévisible. Il apportait toujours son repas de midi, composé en général de restes de la veille. Marie-Josée préparait de la nourriture pour huit, afin que tous les quatre pussent profiter d'un dîner comportant au moins trois groupes alimentaires. Les parents faisaient les lunchs ensemble avant d'aller au lit, s'assuraient que tout le monde mangerait à sa faim et n'ajoutaient jamais ni friandises ni boissons sucrées. Les enfants avaient tout de même droit à un dessert :

trois biscuits aux pépites de chocolat chacun. Tandis que Serge partait de son côté, Marie-Josée montait dans sa propre berline intermédiaire et s'en allait à la banque, où elle autorisait ou refusait des prêts toute la journée. À leur retour de l'école, les enfants prenaient une collation de fruits et de fromage et faisaient leurs devoirs. Lorsque les parents revenaient de leurs emplois respectifs, il arrivait que Jean-David ou Anne-Julie ait commencé à couper les légumes du souper. C'étaient de bons enfants.

Une fois par an, à la relâche du mois de mars, ils se rendaient en Floride pour passer la semaine dans la petite maison mobile qu'ils possédaient en banlieue de Miami. L'été, ils allaient au camping du Lac-à-l'Eau-Bleue tous les week-ends et durant les vacances afin de profiter de la plage qui se trouvait à moins de cent mètres de leur roulotte. Là, ils retrouvaient leurs amis d'été avec lesquels ils jouaient aux fers, à la pétanque, aux cartes ou aux poches. Les enfants y avaient également leurs camarades. Cette petite communauté saisonnière avait reproduit un schéma urbain en miniature, composé de caravanes proprettes, sagement alignées selon un plan uniforme ; environ quatre mètres séparaient chaque maisonnette roulante de sa voisine. Marie-Josée accrochait un panier d'impatientes roses sur l'auvent, déposait la nappe de plastique sur la table à pique-nique et voilà, les vacances étaient commencées. De temps en temps, au cours de l'année, le couple se réservait ce qu'ils appelaient leurs fugues. Parfois en ville, parfois à la campagne, ils partaient tous les deux pour une fin de semaine durant laquelle ils mangeaient dans un bon restaurant, visitaient les attractions touristiques, se faisaient masser et s'offraient le luxe d'émettre des sons en faisant l'amour.

Dans l'ensemble, d'ailleurs, Serge était assez satisfait de sa vie sexuelle. Marie-Josée n'était certes pas plus fantaisiste au lit que dans la vie, mais cela lui était égal, même qu'il préférait cela. Son épouse n'avait pas à s'abaisser aux pratiques qu'il pouvait observer sur les sites Internet qu'il visitait parfois, juste pour voir comment c'était. Non, c'était bien, c'était confortable, il savait comment la faire jouir, elle savait comment faire pour lui, ils conservaient après tout ce temps une fréquence de rapports sexuels correcte, généralement le dimanche matin en plus des fugues. Après l'amour, ils se prélassaient quelques minutes, puis Serge se levait pour aller faire des crêpes tandis que Marie-Josée ramassait les kleenex et changeait les draps. Toujours impeccables, les lits faits par Marie-Josée. On eût dit qu'elle avait fréquenté l'armée.

Tout allait donc pour le mieux dans le meilleur des mondes. Pourquoi alors, assis sur la plage du Lac-à-l'Eau-Bleue, avait-il subitement l'impression que sa vie était vide? Il regardait les gens, les saluait d'un signe du chapeau qu'il portait pour protéger du soleil sa calvitie naissante, entendait des bribes de conversation qui faisaient comme une communication radio infestée de parasites. Marie-Josée et les enfants, à quelques mètres de là, se lançaient un frisbee. Tous les trois légèrement bronzés (la crème solaire à indice de protection 50 empêchait la trop forte agression des UV), ils avaient des corps minces aux formes parfaites. Marie-Josée, toujours très classe, portait un maillot une pièce bleu marine au décolleté discret et bien coupé. Anne-Julie personnifiait la jeunesse en fleur dans son sobre deux-pièces à rayures colorées, tandis que Jean-David, comme tous les garçons de son âge, cachait sa puberté sous un grand short noir. N'était-ce pas une famille parfaite? Une vie parfaite?

Il laissait errer son regard sur les corps étendus tout autour de lui. Des corps qui appartenaient tous à des gens qui menaient des vies rangées, honnêtes, semblables à la sienne. Si semblables? Il ne s'était jamais arrêté à y penser. Tout le monde aspirait-il à une existence réglée comme du papier à musique? Non loin, une jeune femme grasse se levait de sa serviette pour aller se baigner. Sa peau blanche, rougie par le soleil, débordait de son bikini turquoise trop petit pour elle. Ses seins énormes semblaient vouloir bondir hors de leur minuscule nacelle et ses fesses formaient deux hémisphères roses où les grains de sable marquaient de petits points blancs. Serge eut tout à coup envie de cette fille. De fourrer ses mains dans cette chair généreuse et fraîche, de mettre son visage entre ces cuisses massives, d'empoigner ce cul et de le maltraiter.

Seigneur! Qu'est-ce qui lui prenait? Il avait une érection maintenant. Il se coucha à plat ventre. Cela lui fit mal. Il essayait de penser à Marie-Josée, à sa femme toute mince et parfaite qui lui faisait des fellations soigneusement minutées, lesquelles le conduisaient sans exception à une éjaculation qu'elle recevait dans le kleenex préalablement disposé à portée de main. Elle n'aimait pas recevoir le sperme dans sa bouche, encore moins sur son visage ou toute autre partie de son corps. Mais elle suçait parfaitement. Tout ce que faisait Marie-Josée, elle le faisait parfaitement. La tourtière et le pâté chinois, les pâtes carbonara, les feuilletés d'épinards. Les costumes d'Halloween des enfants. L'arbre de Noël. Les bouquets de fleurs séchées. Tout. La fille, là, à côté, elle avait les cheveux sales. Elle sentait probablement la sueur. Elle ne faisait sûrement même pas son lit le matin. Bon Dieu, cette érection lui faisait mal. Il devait penser à autre chose.

Madame Labrie. Madame Labrie, cette vieille chipie qui revenait sans cesse se plaindre que ses couronnes étaient mal ajustées. *La vieille vache*. Il se surprit à sourire, la face enfouie dans ses bras croisés. Jamais il n'osait, même en pensée, formuler de pareilles grossièretés. Ses parents, honnêtes ouvriers, chrétiens convaincus, l'avaient élevé dans le respect du bon langage, et il faisait de même avec ses enfants. Mais Seigneur, ça faisait du bien. *Grosse vache. Grosse crisse de vache.* Il eut un petit rire nerveux. Force lui était d'admettre qu'il y avait quelque chose de vraiment délicieux à jurer comme ça. Même dans sa tête. En prime, l'érection était partie. Il pouvait se rasseoir.

La grosse fille n'était plus là. À côté de l'endroit où elle s'était tenue, une famille déballait en bavardant avec animation des provisions contenues dans une glacière bleue au couvercle blanc. Coca, chips, sandwiches au pain blanc, *baloney* et fromage orange, bières. Tout ce qui n'entrait jamais dans la maison de Serge. Ils buvaient un peu de vin, bien sûr, parfois des bières d'importation, mais jamais de cet infâme jus commercial au goût insipide. Les boissons gazeuses, les chips, le faux fromage, toutes ces choses faisaient partie d'un monde insalubre, un monde qui voulait devenir obèse et malade, un monde qui avait choisi de vivre mal. Un monde qui n'était pas le leur. Dans la maison de Serge et Marie-Josée, on trouvait toujours des fruits frais, quantité de légumes, du pain complet, du bleu d'Auvergne, du jus de pamplemousse pur à cent pour cent, de l'eau filtrée, du café équitable. On compostait les déchets végétaux, on recyclait tout ce qui pouvait l'être, on lavait le linge à l'eau froide avec du savon sans phosphates. Ces gens, là, qui ouvraient des bouches énormes pour y enfourner leurs cochonneries, qui rotaient leur bière et leur Coca, comment se sentaient-ils? Le soleil d'été faisait luire leurs peaux imprégnées de gras et de sel. Ils parlaient fort, se taquinaient, riaient, se passaient d'autres canettes et d'autres sandwiches, les enfants piochaient dans le sac de chips barbecue. Le tout dégageait une odeur…

Un souvenir surgit dans la tête de Serge. Il était tout petit et sa maman, debout près du poêle, lui souriait. «Un bon *grilled-cheese* au *baloney* pour mon petit bonhomme!» disait-elle. Il se mit à saliver. Durant ses années d'études, il avait continué de se préparer ces en-cas hypercaloriques qu'il faisait passer avec une bouteille de Molson de temps en temps. Il se rappela qu'il raffolait de ces *grilled-cheese* et qu'il n'en avait plus mangé depuis que Marie-Josée était entrée dans sa vie. Une des femmes du groupe alluma une cigarette. De nouveau, le souvenir de sa mère, souriante au-dessus de son magazine, la Craven A entre le majeur et l'index. «Puis, toi, mon beau coco?» disait-elle avant de replonger dans ses potins artistiques. Sa mère. Sa mère qui n'était pas du tout morte en lui donnant naissance, mais qui avait vécu pour le chérir durant les vingt-quatre premières années de sa vie avant d'être emportée par un cancer du poumon. Il eut envie de se lever et de quémander un sandwich et une bière. Pour voir. Pour savoir si le bonheur reviendrait, une fois la bouchée sur sa langue. Il eut envie de prendre une grande goulée de bière et de roter longuement. De péter aussi, pourquoi pas? Pourquoi pas?

Serge contemplait ces gens et se rendait compte qu'il n'était pas heureux dans sa vie parfaite. Pas malheureux, non. Mais pas heureux non plus. Rien dans cette vie qu'il menait, qu'il avait construite avec soin, cette vie que lui enviaient bien des gens, rien n'existait de spontané, de débridé. C'était quoi, son histoire? Un soporifique enchaînement d'événements prévisibles. Tout était toujours mesuré, géré, administré, jusqu'à la disposition des paires de chaussettes, classées par couleur dans le tiroir du haut de la commode. Tout ce qu'ils mettaient dans leurs assiettes était calculé pour fournir oméga-3, vitamines, minéraux, fibres en quantités dosées selon les recommandations du *Guide alimentaire canadien*. Rien pour le simple plaisir. Ou simplement juste pour voir. Jamais. Il réalisait qu'il avait bâti autour de lui-même une espèce de cage dorée. Même pas dorée, en fait: plaquée or. Peinturée à l'or factice d'une sécurité trop aseptique pour être vraie. Une espèce de panique s'empara de lui. Fuir. Prendre immédiatement la poudre d'escampette, aller changer sa berline intermédiaire pour une Mustang décapotable rouge. Aller boire de la bière pression dans un bar country en braillant des chansons d'amour nostalgiques dans le cou d'une fille qui porterait des bottes de cow-boy avec une mini-jupe en denim. S'arrêter au service à l'auto, en revenant, et commander un double *cheese-burger* extra bacon avec une poutine au lieu des frites, et puis un format jumbo de *root-beer*. Il sentait presque dans sa paume le froid du broc givré. Oui, oui, laisser tomber cette existence mièvre, beige, lisse, et glisser dans la décadence. Qui avait réussi sa vie? Ces gens, là, qui s'esclaffaient sur leurs grosses farces en fourrant dans leurs corps tous ces poisons? Ou Serge Garant, qui tournait toujours sa langue sept fois dans sa bouche avant de parler et qui n'avait pas ri aux éclats depuis si longtemps qu'il ne se rappelait même plus la dernière fois?

Une voix dans le lointain.

— Serge? Serge!

C'était Marie-Josée, souriant de toutes ses dents éclatantes et parfaitement alignées, le frisbee à la main, impeccablement coiffée, respirant la santé sous son léger maquillage.

— On va préparer le souper. Tu viens?

Trois visages parfaits au-dessus de sa tête. Trois visages francs, à la peau dénuée d'acné, encadrés par des cheveux brillants et propres.

— C'est le temps des légumes frais. On va se faire une bonne ratatouille.

Serge laissa un demi-sourire étirer ses lèvres.

— Oui, dit-il. J'arrive.

Il aimait bien la ratatouille.

CROMWELL

Juliette se passa une main sur le front, y laissant une traînée brune. Il faisait si chaud. Il fallait pourtant retourner ce champ. La survie à l'hiver en dépendait. Allez, un petit effort. Son dos raidi résista douloureusement, mais elle le força à se replier. La fourche reprit son travail régulier, au rythme des grognements que laissait échapper la jeune femme à chaque fois qu'elle enfonçait l'outil dans la terre argileuse.

Le soleil était près de se coucher. L'angélus avait sonné depuis longtemps et elle s'échinait encore, pressée d'en finir, dans l'urgence de semer sa survie. L'hiver qui venait de s'écouler avait été trop dur. Elle ne voulait plus souffrir de la sorte. Plutôt mourir. Peu importait ce qu'en pensaient ceux de la paroisse, plutôt mourir que de passer encore six mois toute seule à grelotter dans sa cabane, le ventre mangé par la faim, à écouter pleurer son vieux chien jaune affalé devant le poêle à bois. Elle se redressa laborieusement, soupira. Ce n'était pas la vie, ça. Ça ne pouvait pas être la vie, s'échiner comme ça le jour durant pour quelques racines. «Allez, un effort, un dernier. Il reste quelques pieds carrés encore.» Comme elle allait se baisser de nouveau, elle tendit l'oreille.

Le chien grondait.

— Allons, Prince, mon beau, c'est encore le cochon? On va aller voir. Tranquille, Prince.

Pas fâchée au fond de lâcher la fourche, elle se dit, en se dirigeant vers l'étable — ou ce qui en faisait office : quelques rondins surmontés d'un toit de sapinage —, que ce n'était pas plus mal de s'arrêter tout de suite, que la nuit venait maintenant, et qu'il valait mieux aller dormir. Elle finirait de retourner le champ demain. Ce cochon! Il lui faudrait bien consolider l'enclos si elle voulait faire du boudin cet automne. Sinon, c'étaient les coyotes qui s'en feraient, du boudin.

Dans la pénombre, elle distinguait la forme oblongue de l'animal, qui dormait, étendu de tout son long sur la paille, ronflant doucement. Au moins un bienheureux sur cette Terre, songea-t-elle. Alors, qu'est-ce qui avait alerté Prince? Il lui fallait une bonne raison pour donner de la voix. Bon vieux poilu, si calme. Il l'avait plus d'une fois réconfortée aux heures les plus cruelles de sa solitude de femme, depuis que son gredin d'homme avait pris le chemin des États.

— Y a une piastre à faire par là-bas, avait-il argué.

Au début, elle avait reçu des lettres, enveloppes sales, papier froissé, qui lui disaient toutes la même chose, ou à peu près. Il avait trouvé du travail sur une plantation en Virginie, il était contremaître aux champs de tabac, il mettait de l'argent de côté, il reviendrait quand il en aurait assez. Après une quinzaine de mois, il n'y eut plus de lettres. Rien. Comme s'il avait cessé d'exister. Cela faisait maintenant six printemps qu'elle retournait la terre seule, sans même un enfant pour justifier tout son labeur. Cependant, si la vie était dure, ce bonhomme-là, ce n'était pas une grosse perte. Et tant mieux s'il était mort.

Au village, personne ne faisait la queue non plus pour prendre la relève du disparu. Parce qu'elle souffrait d'un léger strabisme, on la soupçonnait de jeter des sorts. On disait que son œil gauche regardait le Diable. On racontait qu'elle avait envoyé son homme *ad patres* avec l'aide du Malin. On se signait, on crachait par terre à son passage. On la tolérait, dans sa cabane miteuse aux abords du village, parce qu'il n'existait pas de preuves que son homme fût mort et parce que, par conséquent, elle demeurait la bru du bootlegger, le tout-puissant Adelphe Robichaud, qui avait le pouvoir absolu sur tout le monde, ou presque. En effet, chacun des 362 habitants de la petite paroisse catholique de Andrew's Church, sise au sud de cette province maritime d'Amérique du Nord, avait quelque chose à cacher dont cet homme était au courant puisqu'il trouvait toujours moyen de se rendre complice de toute action illicite : adultères, trafics de toutes sortes, prêts à usure, quiconque avait quelque sombre secret tremblait devant cet homme. Et tout le monde a des secrets, n'est-ce pas ? Comme il ne visitait, à dire vrai, jamais sa belle-fille, on doutait qu'il la portât assez dans son cœur pour prendre sa défense au besoin, mais comme en réalité on n'était sûr de rien, on n'osait pas aller plus loin que des simagrées dévotes derrière son dos. De toute façon, elle ne dérangeait personne, tant qu'elle restait à trimer sur sa terre de roches. La petite bigleuse, on aurait pu en avoir pitié en fait, elle qui avait été battue comme un chien par son ivrogne de père, et vendue au bootlegger en échange d'une demi-caisse de mique- lon le jour de ses quatorze ans. On se doutait bien qu'Adelphe s'était servi son comptant de la fille avant de la refiler à son fils, un vaurien de la pire espèce, imbibé de baboche, la gueule toujours pleine de menteries. Celui-ci était resté avec la fille dans la cabane un hiver, puis la bougeotte l'avait pris et il était parti vers les États du Sud, à ce qu'on disait, où il avait trouvé du travail dans le tabac. La fille n'avait pas enfanté. Heureusement ! Comment elle aurait fait pour élever une famille, dans une telle misère, sans homme ? En tout cas, on la laissait tranquille, et si ce n'était pas par respect, du moins ce pouvait être par crainte du beau-père ou encore par défiance des sorts qu'elle pouvait vous jeter.

Et puis, son homme était peut-être encore en vie, après tout.

Juliette savait bien ce que les gens des environs pensaient d'elle. Il lui arrivait d'en éprouver du chagrin, mais en général elle n'en avait cure. Valait mieux rester sans personne que de vivre aux côtés d'un soûlon qui vous bat et vous viole, valait mieux ne pas avoir de visite que de recevoir des menteurs et des hypocrites qui vous honnissent dès qu'ils retournent chez eux. Elle haussa les épaules. «Qu'ils aillent tous en enfer avec leur Diable.»

— Viens, Prince, on va rentrer les poules, puis on va aller se coucher.

La chaise berçante craquait et ce bruit paisible lui paraissait rassurant. Sur le poêle chauffait la soupane, trop claire parce que l'avoine arrivait au fond de son baril et qu'il faudrait d'abord vendre quelque chose pour pouvoir en racheter. Bientôt les jeunes frênes fourniraient les éclisses pour tresser des paniers, les premières plantes pourraient être cueillies dans la forêt et proposées au marché. Crosses de fougères, ail des bois. Bourgeons de sapin, feuilles de poison à couleuvres. Queues de quenouilles, racines de nénuphars. La truite allait recommencer à mordre aux hameçons. On allait sentir les fleurs des fraisiers appeler les abeilles.

Enveloppée dans son châle, elle frissonna. Les soirs étaient encore froids. Mais il y avait sur cette Terre des réconforts pour toutes les douleurs, songeait-elle en contemplant avec une espèce d'émerveillement enfantin ce qu'elle tenait dans ses mains. Posé sur ses paumes couvertes de cals et d'égratignures, un objet rectangulaire enveloppé de papier brun. Un paquet portant un timbre de la République française. Voilà presque un an qu'elle avait commandé ce livre. Elle avait su par le journal que le grand Victor Hugo avait publié un nouveau recueil de poèmes. La feuille de chou locale avait reproduit deux textes de ce recueil, Juliette les avait lus et cela avait été pour elle une révélation. La poésie avait fait naître une sorte de lumière en elle, un éclat, une joie profonde et vaste qui l'avait portée vers un ailleurs qu'elle n'avait jamais contemplé auparavant. Comprenant qu'elle ne pourrait plus vivre sans la poésie, elle avait écrit à Paris, à la Librairie Hachette, pour demander le prix. On lui avait répondu. Elle avait tressé deux fois plus de paniers, travaillant tard dans la nuit, se coupant les phalanges sur les éclisses aiguës, et réussi à amasser assez pour payer le livre et les frais de port, puis expédié le tout à Paris, avec une lettre laborieuse où elle remerciait infiniment l'expéditeur pour sa bonté envers une pauvre fille de la campagne qui n'avait pour réconfort que la poésie de monsieur Hugo. Et voilà qu'il était sur ses genoux, le cher livre, et qu'elle s'apprêtait à l'ouvrir pour la première fois. Les doigts gourds défirent la ficelle, puis le papier, qui laissa enfin apparaître la couverture de cuir du premier, du seul livre qu'elle eût jamais tenu entre ses mains. Et il était à elle. Elle avait gagné durement chaque sou qu'il lui avait coûté. C'était un trésor. Son trésor. Le parfum de l'encre monta à ses narines quand elle ouvrit le volume, dont l'épine craqua avec un bruit chaleureux, pour y enfouir son visage. Ô l'inestimable plaisir premier d'ouvrir un livre neuf. Odeur, son, grain rugueux du papier sur la joue, douceur du cuir repoussé. Après avoir bien joui des sensations physiques procurées par *Les Contemplations*, elle se rendit à la première page, approcha un peu la lampe qui fumait et entama l'avant-propos. L'auteur y disait qu'il parlait de chacun des hommes en parlant de lui-même, que l'âme d'un homme est celle de tous les hommes. Enfin, c'était ce qu'elle comprenait. Elle eût dû attendre au lendemain pour parcourir le premier poème, soucieuse qu'elle était d'économiser ce bonheur pour le faire durer, mais elle ne put se retenir. *Livre premier : Aurore*. Le texte liminaire parlait d'*Un rapide navire enveloppé de vents, / De vagues et d'étoiles*.

Oh, la mer! La mer furieuse ou caressante, parfumée d'iode, au chant doux dans les heures étales. Elle pouvait l'imaginer, la mer. Elle en avait assez rêvé pour en être capable. La verrait-elle un jour? On pouvait en douter. Pourtant on n'en était pas bien loin, ici. Des gars du village s'étaient faits pêcheurs et s'y rendaient passer la semaine ou le mois, à une cinquantaine de milles. Cinquante milles, il y en a qui le font. Mais pour elle, si pauvre, cette distance était énorme. Elle ne pouvait aller qu'à pied — qui aurait bien voulu la conduire ? Et où aurait-elle couché, une fois là-bas ? Elle se contentait d'en rêver. Elle se l'imaginait bleu d'azur ou grise de colère, elle essayait de reconstituer dans sa tête le mugissement des tempêtes et les cris des fous de Bassan, le fracas du ressac battant la côte en remuant les galets, elle cherchait dans sa mémoire olfactive quelque chose qui pût ressembler à un air saturé de sel et d'algues. Cela ne lui suffisait pas, bien sûr. Elle eût préféré se trouver en présence de l'océan pour de vrai. Mais c'était mieux que rien. Et puis maintenant, elle avait monsieur Hugo pour le lui décrire.

Le chien émit à ce moment un grondement sourd et se leva. Les oreilles aux aguets, il flairait l'air. Presque au même instant, une agitation leur parvint du poulailler. «Encore une maudite martre.» Elle ne finissait plus de mettre des collets pour attraper ces petites pestes qui égorgeaient les poules et les laissaient là, sans tête, n'ayant pu traîner le corps à travers le grillage. Elle posa précieusement le livre sur la table, en soupirant, puis s'empara du balai.

— On y va, Prince. On va chasser la martre. Si tu l'attrapes, ça va nous faire une peau.

Dans l'obscurité, les poules avaient cessé de s'énerver. L'air était chargé de particules de paille et de poussière. Un gloussement ici et là témoignait de la pagaille de tout à l'heure. La bête était vraisemblablement repartie par où elle était venue. Il faudrait trouver un moyen de serrer le grillage avant que le petit prédateur n'ait le temps de revenir et de perpétrer un carnage. Les œufs étaient trop précieux pour risquer de perdre les pondeuses. Elle secoua la tête. Elle allait repasser la porte basse lorsque le chien émit un nouveau grognement. Il pointait le fond du poulailler, sous les nichoirs, où s'entassait la paille fraîche pour la litière.

— Ah, ma petite gueuse ! Je vais t'avoir. Tu sortiras pas de ce poulailler-là vivante. Vas-y, Prince, attaque !

Le vieux bâtard, excité par l'ordre de sa maîtresse, se rua vers l'amoncellement de paille en aboyant. Et ce fut, non pas le petit cri aigu de la martre qui lui répondit, mais une voix d'homme remplie de terreur.

— *Aaaaah ! Stop it ! Stop it !*

Juliette, le balai en l'air, réussit à répondre après un silence, d'une voix qu'elle voulait assurée :

— Tranquille, Prince. Qui c'est qui est là ? Qui c'est que vous êtes ? Sortez de là ou je vous bats comme un tapis ! Pis… Pis mon chien va vous manger !

— *Please ma'm,* fit la voix étouffée par la paille et l'ombre, *please, don't hurt me. Help for a poor man, ma'm.*

L'homme se dégageait lentement de la paille tout en suppliant, il se redressa du mieux qu'il put sous le plafond bas et leva les mains en signe de paix. La jeune femme écarquilla les yeux. Le personnage était vêtu de loques. La crasse qui le couvrait, ses joues creusées d'épuisement, ses yeux injectés de sang, les égratignures qui parcouraient son visage et ses bras témoignaient des difficultés qu'il avait pu rencontrer avant de se retrouver là. Et, en plus...

— Seigneur de la vie! murmura Juliette, sidérée. Il est noir comme le poêle!

Le châle bien serré autour des épaules, le chien assoupi par terre à ses côtés, Juliette se berçait. Dans le poêle, la bûche qu'elle avait rajoutée se consumait en crépitant. «De l'épinette. Ça salit la cheminée. Mais c'est tout ce qui reste.» Elle contemplait la forme ramassée sur le tapis tressé, au pied du poêle. Elle lui avait donné la moitié de la soupane et l'une des deux couvertures de son lit. Il avait mangé en grelottant d'épuisement puis s'était roulé en boule sur le tapis sans dire un mot. Avec une espèce de soupir, il s'était endormi presque immédiatement. Prise de pitié, Juliette était allée saisir la courtepointe qui ornait sa paillasse et l'en avait couvert.

Maintenant, dans la pénombre, elle le contemplait. Elle avait éteint la lampe. Inutile de brûler de l'huile pour rien: la lune était assez claire. Quelle étrange physionomie. Ramassé sur lui-même comme il l'était, il ne laissait pas voir sa silhouette, mais on pouvait tout de même deviner la masse dure et souple de sa musculature. Le visage, dans le sommeil, paraissait différent de celui qu'elle avait surpris plus tôt dans le poulailler. Apaisé, il présentait une douceur presque enfantine. Le contour de ses yeux formait deux amandes parfaites, bordées de cils frisés, fournis, noirs comme ses cheveux crépus. On aurait dit de la mousse, ces cheveux. Ils étaient sûrement doux. Elle eut envie de les toucher. Avançant le torse, elle se pencha en avant, le bras tendu, pour atteindre du bout des doigts les boucles sombres. Mais la chaise craqua fortement, interrompant le geste. Le cœur battant, elle resta immobile. L'homme broncha, ramena la couverture jusqu'à son menton, resserra encore sa position fœtale. Juliette se redressa. Elle se contenterait de le regarder. À sa manière, il était beau. Oui, le nez était large, plus large que ceux des gens d'ici, mais il émanait de sa forme arrondie une tendresse frémissante qui émut la jeune femme. Le bout était d'un brun rosé, plus pâle que le reste du visage. Comme la paume de la main qui retenait la couverture, et dont elle apercevait une partie: bien plus pâle que le reste, striée

de lignes foncées. Que disaient-elles, ces lignes? D'où
était-il tombé, ce visiteur inattendu?

Oh, elle se doutait bien de la réponse à cette
question-là. Son bon à rien de bonhomme lui avait
parlé des Nègres dans ses lettres. Des bêtes d'ouvrage
brutales et stupides qu'il fallait battre pour qu'elles
obéissent, pires que des mules. C'en était un, pour
sûr. Même si elle n'en avait jamais vu, elle était
certaine qu'elle avait recueilli un authentique Nègre.
Son homme lui avait écrit qu'ils n'étaient pas vraiment des personnes, mais plutôt des espèces de
singes sans âme véritable, même s'ils étaient doués
de la parole. Juliette n'avait jamais rencontré de
singe non plus, mais elle doutait que l'être qui dormait sur son plancher fût autre chose qu'un homme.
L'attitude dans le sommeil ne trompait pas. Il
dormait comme un homme. Ses doigts, ses oreilles,
la forme de ses épaules, les pieds qui dépassaient
de l'autre bout de la couverture, tout cela constituait
le corps d'un homme. Il respirait paisiblement, en
ce moment, et la jeune femme avait l'absolue
certitude que ce corps recru de fatigue recelait une
âme. Pauvre visage triste, tout égratigné.

Il ne pouvait s'agir que d'un esclave en fuite.
On racontait qu'un réseau clandestin les aidait à
remonter jusqu'au Canada. Ils aboutissaient de ce
côté-ci de la frontière et, si personne n'était là pour
les accueillir, ils erraient un certain temps avant de
trouver du travail dans une ferme ou... de se faire

prendre. Les esclavagistes du Sud envoyaient des rabatteurs pour récupérer les fuyards. Ils payaient des primes. Certains habitants dénonçaient les réfugiés après les avoir hypocritement recueillis. Juliette avait entendu bien des choses, et en avait lu aussi dans le journal quand elle pouvait mettre la main sur les vieux numéros jetés par les villageois. L'année dernière, des rabatteurs étaient remontés jusqu'à une communauté passamaquoddy et avaient récupéré un esclave qui se terrait là depuis près d'une année. On l'avait attaché par les mains et traîné derrière un cheval. Les Indiens, qui l'avaient pourtant hébergé tout ce temps, n'avaient pas osé empêcher cela. Qu'y auraient-ils pu, de toute façon? On les aurait battus aussi.

Qu'allait-elle en faire, alors, de son survenant? Le cacher? Ici? Folie, bien sûr. Mais l'idée de le laisser reprendre par les esclavagistes lui était insupportable. Comment pouvait-on traiter un homme comme une bête? Elle eut un rire bref, amer. Bien sûr qu'on pouvait traiter un homme comme une bête. S'il était désarmé, si l'on avait la conviction de lui être supérieur, si l'on était persuadé qu'il avait été créé pour vous servir, on ne s'en privait pas. Elle avait bien payé pour le savoir.

Soit, alors. Elle avec ses yeux croches, lui avec sa peau noire, ils étaient du même bord. Elle le cacherait donc.

En nage, le souffle haché, le cœur lui battant les tempes, Juliette s'épongea le visage avec le coin de son tablier. Depuis le matin qu'elle peinait sur cette souche. Le soleil lui brûlait la nuque, sa chemise lui collait désagréablement à la peau, et le ballet sanguinaire des légions de mouches noires achevait de la rendre folle. Il fallait pourtant l'enlever, cette bûche, sinon elle ne pourrait jamais labourer cette parcelle. Et il fallait labourer si l'on voulait semer. Elle avait besoin de l'avoine que lui donnerait ce bout de champ supplémentaire. Surtout que maintenant, elle avait une bouche à nourrir en plus de la sienne.

Elle l'entendait bardasser dans l'étable. Il ne sortait pas en plein jour, jamais, ou très peu. Même si les passants étaient rares, c'était quand même dangereux. Elle voulait entrer en contact avec des gens du chemin de fer clandestin, comme on appelait le réseau de maisons et de gens amis des esclaves en fuite, afin qu'on aide son pensionnaire à gagner une ville plus importante où il pourrait trouver du travail. En attendant, il se rendait utile. Les premiers mots qu'il lui avait dits en français étaient son nom : «Moi, Cromwell» et une proposition : «Moi, aider». Il avait ainsi réparé la houe, remis en état les pondoirs, ramoné le tuyau du poêle et fait toute une série de menus travaux à l'intérieur. Il gagnait bien sa soupe. Il avait même tenté de la convaincre qu'il pouvait travailler au champ, mais elle avait refusé. C'était trop risqué qu'il se fasse prendre. Ah, oui, il y avait près de trente ans que l'esclavage était aboli dans tout l'Empire britannique, mais ce genre de nouvelles ne se rendait pas bien vite jusqu'aux petites paroisses perdues comme Andrew's Church. Et Juliette était certaine que bien des ouailles du bon curé auraient vite oublié la charité chrétienne en considérant ce qu'un Nègre en fuite pourrait leur rapporter. Surtout le maudit bootlegger Robichaud, son beau-père. Peuh! Lui, il aurait été prêt à se vendre les fesses si cela avait pu lui rapporter trente sous. Il l'avait bien vendue, elle, quand ça l'avait arrangé. Oh, elle pouvait suer sang et eau sur cette terre de misère, rien ne la ferait retourner sous le toit de ce sacripant. Et si le fils revenait des États un jour, eh bien! elle s'enfuirait. Comme Cromwell.

Avec Cromwell?

Voilà qu'elle rougissait, toute seule dans son champ. C'est qu'il était beau, en fin de compte, le diable. Au fil des jours, elle avait apprécié ce visage à l'œil vif, au sourire franc, cette douceur et ce calme qui émanaient de tous ses gestes, malgré sa stature imposante. Elle s'était surprise une fois ou deux à contempler la vaste poitrine et à s'imaginer poser sa joue sur la peau chaude et ferme. Et elle avait songé à ce vers de son cher Victor Hugo : *L'infini tout entier d'extase se soulève*. En aurait-il été ainsi si lui, le fugitif, le paria noir, l'avait entourée de ses grands bras noueux? L'aurait-il fait? Si réellement elle était allée se blottir contre sa poitrine, aurait-il accompli ce geste sans retour? Elle savait bien qu'il l'observait souvent, tandis qu'elle brassait la maigre marmite, qu'il la suivait des yeux dans l'unique pièce de la cabane, qu'il l'enveloppait de son regard pareil à un puits tendre, elle savait bien qu'il y avait quelque chose. Quelque chose comme…

Mais qu'était-elle en train d'imaginer là? Il n'y avait rien. Il n'y aurait rien. Elle aidait un pauvre hère que la charité ne lui permettait pas d'abandonner à un sort pire que le sien, voilà. Dès qu'elle aurait réussi à parler à un membre du chemin de fer clandestin, elle pourrait en confier la responsabilité à quelqu'un d'autre. Et la vie reprendrait comme avant. Morne et solitaire, comme avant. Misérable, comme avant. N'était-ce pas comme cela que les choses devaient se passer?

Elle soupira, secoua la tête et reprit sa besogne.

Elle n'était pas venue à bout de la satanée souche. Elle avait fini, la veille, par décider de la débiter à coups de hache dès le lendemain et elle avait gagné sa paillasse, éreintée. Le soleil se levait, maintenant. L'eau chauffait pour le thé sur le poêle. Cromwell dormait encore, roulé en boule sur son tapis.

Juliette faisait cuire des œufs. Elle avait gratté un peu de lard et réchauffé deux moitiés de patate pour agrémenter la casserole. Son invité n'avait pas l'habitude de s'éveiller si tard. Peut-être était-il souffrant? Elle jeta un coup d'œil dans sa direction. Le sommeil tranquille de son hôte la rassura. Quelle douceur dans ce visage. Un élan de tendresse la réchauffa. C'était comme si elle avait eu un enfant, dans le fond. Un être dont elle pouvait prendre soin, qui dépendait d'elle. Le repas du matin était prêt. Elle vida le contenu de la poêlonne dans deux écuelles et appela doucement le dormeur.

— Cromwell... Cromwell, il faut vous lever maintenant. Le jour est là.

Il inspira profondément, ses traits se contractèrent légèrement, puis il ouvrit les yeux. En la voyant, il sourit.

— *Hello, ma'm. Good day.* Bon   jour...

Il s'étira et rabattit la couverture pour déplier son grand corps.

— Hmmmm! Sent bon, ça! déclara-t-il joyeusement. *Ma'm* Jouliette, bon *cook*!

Elle lui rendit son sourire et l'invita d'un geste à se mettre à table. L'unique chaise avait été dotée d'une compagne de fortune par l'homme noir qui avait fabriqué une banquette durant ses heures de cachette dans l'étable.

Il avait bon appétit. Les joues creuses des premiers jours avaient fait place à une mine saine et les coupures les plus profondes qu'il portait au corps se cicatrisaient correctement. Il allait bientôt pouvoir partir. Juliette avait besoin de savoir par où il était venu, afin de pouvoir contacter un conducteur du réseau clandestin, ou à tout le moins un chef de station, ainsi qu'on appelait les propriétaires des maisons qui offraient refuge aux fugitifs. Elle qui avait toujours mis un point d'honneur à s'exprimer en français, comme la plupart des Acadiens éparpillés dans ce Sud-Ouest du Nouveau-Brunswick essentiellement peuplé de la descendance des loyalistes britanniques, elle rassembla tout son anglais pour s'adresser à son pensionnaire. Déposant sa cuiller, elle lui toucha légèrement le bras pour attirer son attention.

— Hum. *You... You come from United States. Don't you?*

Cromwell acquiesça d'un signe de tête, la cuiller en suspens entre ·le bol et sa bouche. Il semblait soudain inquiet. Elle tapota le bras pour le rassurer.

— *I just... want to help.· You must go... soon. Danger here. Understand?*

Nouvel hochement de tête.

— *I need to... to know the persons... the persons who take you here. They can help again, maybe. You tell me?*

Il déposa l'ustensile dans le bol et posa ses grosses mains sur la table. Il inspira profondément en fermant les yeux, puis se mit à raconter son histoire. Il parla durant une bonne heure, interrompu souvent par Juliette qui lui faisait répéter ou expliquer ce qu'elle ne comprenait pas. En bref, il était parti plusieurs mois plus tôt d'une plantation de tabac de la Virginie et avait voyagé de nuit, d'une station à l'autre, guidé avec d'autres fuyards par des conducteurs qui changeaient régulièrement. Ils repéraient, tous les vingt milles environ, les maisons prêtes à les cacher grâce à des chandelles qui brûlaient aux fenêtres ou encore des lanternes sur les perrons. Certaines arboraient, dans le jardin, des petits Nègres pêcheurs en plâtre, ou encore des porteurs de fanal. Ces gens, les chefs de station, cachaient les hors-la-loi durant le jour, leur four-nissaient nourriture et vêtements et s'assuraient qu'ils partent sans danger vers le prochain relais. En cours de route, il avait perdu ses compagnons qui avaient, eux, pris la direction de l'Ontario. Cromwell, lui, voulait se rendre à Halifax, où l'attendaient déjà des membres de sa famille, alors on l'avait relayé vers le Maine où il avait été pris en charge par des Quakers. Cependant, depuis la loi qui obligeait les marshals à arrêter les fugitifs sous peine d'une amende de mille dollars, la route pour se rendre à Bar Harbor dans le but de gagner Yarmouth, en Nouvelle-Écosse, était étroitement surveillée. D'autant plus que les rumeurs de guerre entre le Nord et le Sud devenaient persistantes. Aussi, après quelques tentatives manquées, avait-on résolu de le faire passer au Canada par la rivière Sainte-Croix, qui faisait office de frontière entre le Nouveau-Brunswick et les États-Unis. Des frères quakers de Baileyville s'étaient chargés de lui faire passer le cours d'eau. Une fois de l'autre côté, il avait erré, aux abois, n'osant se montrer, se cachant dans les étables ou les caveaux à patates. Le but était d'atteindre une gare et de sauter dans un wagon à bestiaux en direction de Halifax. Peut-être même aurait-on pu lui donner du travail sur le train.

— *Then. When you found me, ma'm, I was up to go to the McAdam station and catch this wagon.*

De la famille à Halifax? Il avait peut-être une femme, alors? Des enfants? Le cœur de Juliette s'affola stupidement. Il fallait qu'elle sache.

— *What... what family do you have there in Halifax?* Heu... *You have... woman? Babies?*

Il secoua la tête et son visage prit un air sombre.

— *No, ma'm. My beloved Bess was killed by master's men. Like an animal, ma'm. They bonded her to a tree and beat her with rods until she die, because she did not want to go in master's bed. That's what made me decide to go. They are not human beings, ma'm. They are evil.*

Consternée, la jeune femme ne savait que dire. Elle s'en voulut d'avoir souhaité qu'il n'eût pas de femme. Elle avait quasiment l'impression d'avoir provoqué l'horrible tragédie par ses vœux égoïstes. Cromwell dut détecter quelque chose dans son regard, parce qu'il reprit, souriant gentiment:

— *You are not like them. You are an angel. You are my guardian angel.*

Il termina sa phrase en posant, naturellement, comme si cela avait été là une habitude de toujours, sa paume sur le poignet de Juliette. Troublée, elle déglutit et ferma les yeux sous le coup de fouet de ce contact. Il ne se retira pas, mais enserra plutôt la fine articulation dans ses doigts. Il répéta :

— *My angel.*

Ce furent ces deux mots qui la réveillèrent. Elle retira vivement sa main et se leva en saisissant les écuelles.

— Bon, fit-elle, la voix un peu rauque, il faut que j'aille défaire ma souche.

Il se leva à son tour, gauchement, visiblement honteux.

— *Sorry, ma'm, sorry! I... I did not want to be irrespectuous.*

Juliette fit un signe de dénégation.

— Non, non, c'est correct. *It is...* heu... *well. No matter.*

Gênée, elle baissa la tête pour passer devant lui et aller ouvrir la porte. Le grand soleil lui éclaboussa le front et les joues. Prince se faufila entre ses jambes et le chambranle pour aller faire sa tournée quotidienne. Elle se rendit comme une somnambule jusqu'à la corde de bois où elle saisit la hache, plantée dans une grosse bûche, puis elle marcha vers le champ. Des taons volaient autour de sa tête. L'air était déjà chargé de chaleur. Ses pieds chaussés de souliers de bœuf s'enfonçaient dans le sol grossièrement labouré. Tiens? Comme c'était étrange. Elle aurait juré que la souche se trouvait dans cette partie du labour. La main en visière, elle regarda autour d'elle, cherchant son ennemie. Rien. Elle n'était tout bonnement plus là. En fait, elle y était encore, mais près de la lisière du bois, arrachée. À sa place béait un trou d'où montait un parfum d'humus frais.

Lentement, elle se tourna vers la cabane. C'était lui. Il était allé arracher la souche durant la nuit. C'était pour cela qu'il ne s'était pas éveillé à l'aube, comme à son habitude. Il avait fait cela pour elle. Il avait sué sa sueur d'homme pour elle. Pour elle. Elle lâcha la hache et, sans même entendre le bruit mat que fit l'outil en tombant sur le sol, elle reprit la direction de sa maison de misère en marchant de plus en plus vite, dérapant dans la terre molle. À la fin, elle courait. Elle s'engouffra dans la petite pièce, essoufflée, et s'immobilisa devant la porte. La lumière intense découpait sa silhouette à contre-jour.

Cromwell finissait de nettoyer les écuelles dans une bassine posée sur la table. Il leva la tête. Elle articula :

— Vous… *You did it…*

Il se contenta, pour toute réponse, de sourire, de ce sourire si plein de douceur qu'elle aimait. Qu'elle aimait.

Elle avança vers lui à pas lents, tandis qu'il se redressait pour la contempler, les bras ballants. Elle posa sa joue sur le tissu rugueux de sa chemise.

Dans la poitrine dure, le cœur battait à tout rompre. Elle sentait sa respiration à lui devenir haletante. Indécis, il restait immobile, ne sachant comment réagir. Elle saisit les mains de l'homme et les posa elle-même dans son dos, sur la taille. Elle entoura son cou de ses bras, en respirant son odeur de matin. Il sentait bon.

— *Thank you,* souffla-t-elle. *Thank you.*

— *Ma'm…*

— Chut. Chut. Je t'aime. *I love you.*

— Oh, *ma'm*, Jou-liette, dit-il dans son français hésitant.

Il la serra alors contre lui de toutes ses forces et baisa ses cheveux, son front, son nez, ses joues, ses lèvres avec fièvre. Juliette, qui n'avait jamais reçu de caresses, fut littéralement balayée par la violence délicieuse des sensations qui s'emparaient d'elle. Ils coulèrent sur la paillasse comme dans un lac sans fond.

Les jours, puis les semaines passèrent. L'avoine poussa dans le petit champ, puis on récolta les patates, les choux, les navets. Lors de ses passages au magasin général, où elle vendait son surplus en échange de mélasse et de fèves séchées, on ne manquait pas de chuchoter derrière son dos que la sorcière à Robichaud faisait bien bonne récolte pour une petite bonne femme toute seule. Elle devait bien faire commerce avec quelque diable pour arriver à tirer tout cela de son seul labeur. On ne se gênait pas trop pour parler devant elle, en fait, bien que l'on craignît tout de même un peu son éventuelle capacité de jeter des sorts. Déjà, au printemps, la femme du maréchal-ferrant, Abel Gallant, avait mis au monde un enfant bigleux. Or madame Gallant avait craché sur les pas de la sorcière à l'automne précédent, et ne s'était pas signée ensuite pour conjurer le sort. Enfin, c'était ce qu'on disait.

Évidemment, Juliette ne se souciait guère de ce que ces stupides villageois pouvaient dire ou penser. À vrai dire, cela faisait son affaire. Tant qu'ils soupçonnaient le Diable, Cromwell ne craignait rien. Elle frissonna une seule fois en sortant du magasin, lorsque Freddy Robichaud, le frère du bootlegger, répondit au vieux Jos Thibodeau qui marmonnait que le Malin devait bien se cacher derrière ces gros navets-là :

— Ou ben c'est qu'elle garde que'qu' Nègre dans son *shed* pour faire la grosse ouvrage !

Tous les hommes présents éclatèrent de rire à cette bonne blague, puis Thibodeau répliqua, en mâchonnant sa chique, que même un Nègre ne voudrait pas de cette bonrienne-là, ce à quoi tout le monde acquiesça. La tête rentrée dans les épaules, Juliette chargea son sac de binnes dans la charrette et ordonna à Prince de tirer. Il n'était pas rare dans les villages de voir des chiens attelés. Pour les familles les plus pauvres, ils servaient de bête de somme l'été et, l'hiver, conduisaient les enfants à l'école.

Chemin faisant, Juliette pensait à son Nègre. Celui qu'elle cachait dans son *shed* et qui faisait, la nuit, la grosse ouvrage. Il labourait, semait, sarclait. Elle travaillait au champ un peu, le jour, au cas où quelqu'un viendrait à passer, pour que son absence ne fût pas suspecte. Elle cueillait les petits fruits sauvages, faisait fumer les truites prises dans le filet qu'elle jetait régulièrement dans la rivière, tendait des collets. Personne n'aurait pu savoir que, le plus souvent possible, elle retournait se jeter dans les bras de l'homme noir qui s'était réfugié dans son poulailler, une nuit du printemps précédent.

Dans la lumière jaune qui fusait par les volets fermés de l'unique fenêtre de la cabane, elle traçait des chemins sur le dos sombre, reliant entre elles, par des sentiers d'amour, les hideuses traces de coups qui y couraient en abondance. Elle s'émerveillait du contraste de leurs peaux dans la pénombre, sa main blanche à elle posée sur son ventre à lui, ne se lassait pas de goûter ses lèvres, son cou, de le laisser la dévorer comme un affamé. Ils s'assoupissaient ensuite pour se réveiller, déjà pleins de fièvre, de nouveau pris de désir, chantant leur plaisir dans une langue qu'ils avaient inventée juste pour eux, mélange d'anglais, de français et d'autres mots qui n'existaient nulle part ailleurs que dans cette misérable cabane plantée à la lisière d'une forêt oubliée du Canada.

Le soir, à la lueur de la petite lampe, elle s'asseyait dans sa berçante et lui, sur son banc, et il l'écoutait lire à son intention les vers de monsieur Hugo. Il y avait un poème, «Melancholia», qui parlait du travail, le *vrai travail, sain, fécond, généreux, / Qui fait le peuple libre et qui rend l'homme heureux!* Comme elle avait les larmes aux yeux en disant: *Où vont tous ces enfants dont pas un seul ne rit?*, il s'en inquiéta, et elle lui expliqua ce dont parlait le poème. Ils pleurèrent ensemble. Il aimait beaucoup «Demain dès l'aube» aussi. Sans doute songeait-il à la morte, là-bas, sur la tombe de laquelle il ne retournerait probablement jamais. Alors elle redoublait de tendresse pour lui changer les idées, et lui lisait un autre poème, un d'amour, un que le grand homme avait écrit pour sa Juliette à lui: *Ainsi tout bas parlait ma bien-aimée. / Nos cœurs battaient; l'extase m'étouffait.* Et il retrouvait son grand sourire de soleil et la serrait dans ses bras tandis qu'elle le lui traduisait. Et il répondait, dans son français hésitant:

— Oui. Oui. C'est vrai, ma nammourrre.

Et elle le corrigeait en riant.

Mais cela ne pouvait pas durer indéfiniment comme cela. Juliette le savait bien. Cromwell aussi de toute façon. Il fallait trouver un moyen de le faire partir vers Halifax. Ils étaient trop près de la frontière. La dernière fois qu'elle s'était rendue au magasin, la jeune femme avait entendu deux femmes qui commentaient un article du journal où il était question, semble-t-il, de chasseurs d'esclaves qui rôdaient dans le comté, remontés des États du Sud à la recherche de fugitifs. Bien sûr, la loi britannique était censée protéger les fuyards. Mais qui viendrait la faire appliquer ici, la loi, quand des Robichaud régnaient en maîtres et n'hésiteraient certainement pas à mettre des charognards sur la piste de leur proie, moyennant quelques dollars? Les esclavagistes étaient prêts à payer de bonnes récompenses pour récupérer leur pauvre main-d'œuvre.

Aussi les deux amants faisaient des plans. Avant l'hiver, Cromwell devrait partir. Parfois, à l'idée que son amour inespéré allait inévitablement la quitter, s'en aller loin d'elle, Juliette sentait des mâchoires de glace lui broyer la poitrine. Cromwell lui faisait comprendre qu'une fois là-bas, bien installé, il la ferait venir auprès de lui. L'an prochain, peut-être. Au printemps. Qu'est-ce que c'était, quelques mois, pour cet amour-là? Elle hochait alors la tête avec un pauvre sourire. Oui. Oui, bien sûr. Mais, quelque part en elle, une voix malveillante lui rappelait que le racisme existait des deux côtés de la barrière, et qu'une petite Blanche comme elle ne serait sans doute pas la bienvenue à Africville, ainsi que l'on désignait cet endroit, aux abords de Halifax, où s'érigeaient de plus en plus de bicoques, à mesure qu'affluaient les fugitifs de couleur venus du Sud.

Oui, acquiesçait-elle, mais sans y croire. Et si son cœur se glaçait à l'idée que leurs après-midi amoureux n'existeraient plus, elle se consolait en songeant que ces moments deviendraient des souvenirs chéris qu'elle pourrait placer dans sa mémoire avec les vers de monsieur Hugo pour les évoquer les soirs de détresse. Voilà. Cromwell faisait des plans pour eux deux, elle le laissait dire et redoublait d'énergie pour préparer sa fuite à lui.

Juliette était d'avis qu'on pouvait peut-être demander l'aide des membres de la nation passamaquoddy, dont une petite communauté vivotait non loin de là, sur la rivière, en guidant de riches chasseurs et pêcheurs de saumon et en vendant des paniers tressés. L'un d'eux, Pascal Bear, avait la réputation de connaître la forêt mieux que personne. On disait qu'il passait, comme l'ours, tout l'hiver terré dans les bois et qu'il n'en sortait qu'au printemps. Il pourrait peut-être y cacher Cromwell, l'aider à suivre une piste secrète jusqu'en Nouvelle-Écosse. En plus, on racontait que cet homme-là tenait les Blancs en horreur et qu'il ne ratait pas une occasion de leur jouer des tours. Cela constituerait peut-être un atout pour eux. Ils résolurent que Juliette se rendrait à Small Falls, là où vivaient les Passamaquoddys, pour y quérir de l'information. Restait à trouver un prétexte. Qu'avait-elle à vendre où à acheter chez eux? Du poisson, des peaux, ils en faisaient récolte eux-mêmes: de tout cela ils n'avaient nul besoin. Et elle, elle tressait elle-même ses paniers et ses filets. Des raquettes? Oui, des raquettes. Il lui fallait des raquettes pour l'hiver prochain. Elle irait là-bas pour quérir des raquettes.

Un beau matin de la fin du mois d'août, Juliette attela Prince et disposa dans la charrette plusieurs conserves de fruits et de légumes, un boisseau d'avoine, un sac de patates nouvelles et quatre poulets vivants. On pourrait ainsi constater qu'elle s'en allait effectivement faire du troc avec les Sauvages. Avec sa marchandise, elle pourrait obtenir des raquettes, des mocassins, des mitaines ou une denrée typique.

Au milieu de l'après-midi, elle arriva à Small Falls. Quelques cabanes, guère plus riches que la sienne, jonchaient un petit espace déboisé mais non labouré. On avait souhaité faire de ces gens de bons agriculteurs, mais qu'auraient-ils pu faire pousser dans le sable et les roches de l'ancien lit de la rivière? Ils ne voyaient pas l'intérêt de le faire, de toute façon. La forêt leur avait toujours fourni le nécessaire. Pourquoi auraient-ils changé de mode de vie?

Des enfants à demi nus, les cheveux emmêlés, traînaient un peu partout dans ce qu'il fallait bien appeler un village. Sur un petit promontoire, une espèce de chapelle avait été érigée, où un prêtre venait une fois par année célébrer mariages, baptêmes et funérailles. Un groupe de chiens étiques fouillait un tas de détritus. Devant une cabane, une vieille remuait une marmite. À ses côtés, un enfançon dormait profondément, bien sanglé dans son porte-bébé d'écorce et de cuir. Des gens allaient et venaient sans lui porter attention — du moins en apparence —, surtout des femmes. Des voix venant de la rivière informèrent Juliette que des hommes pêchaient par là. Et elle savait que depuis quelque temps, l'été, ceux-ci travaillaient beaucoup en tant que guides pour des clubs de chasse et de pêche où venaient s'ébattre des notables britanniques, américains et russes. On racontait qu'une princesse de Windsor était même venue taquiner le saumon dans la région avec son fiancé.

Juliette s'approcha de la vieille qui, seule, avait levé les yeux vers elle. Le regard plissé et brillant attendait que la visiteuse parle.

— *Hi*, dit la jeune femme. *I'm looking for Pascal Bear*.

La vieille examina longuement la jeune femme d'un air grave, tout en continuant de remuer sa marmite où flottaient des morceaux de viande — probablement de l'orignal — dans un bouillon brunâtre où nageaient aussi des oignons et des patates. Sur des pierres, près des flammes, cuisaient des pains plats, des baniques. Quelques enfants s'étaient approchés. Deux d'entre eux, très jeunes, se disputaient en le tiraillant un chiot qui gémissait, impuissant sous la torture. La vieille immobilisa enfin sa braoule et, après une moue hautaine, lâcha :

— *Pascal Bear. What do you want to him, Pascal Bear ?*

— *I need help.*

— *Help. Nobody wants to help you here, you, white woman. What do you think ?*

— *Please. I truly need to talk with Pascal Bear.*

— *Anyway. He's not down here, Pascal Bear.*

— Oh.

Décontenancée, Juliette se demandait quoi faire. Bien sûr. Il devait se trouver en forêt maintenant. À ramasser des bleuets, ou quelque chose comme ça. Que faire ? La vieille ne semblait pas du tout disposée à aider une jeune femme blanche. Tant pis. Il fallait tenter quelque chose. Les rumeurs sur la présence de chasseurs d'esclaves avaient grossi, ces derniers jours. Cromwell devait absolument s'enfuir avant qu'on le trouve. Elle désigna sa charrette.

— *These are for you,* madame. *My friend needs help. A slave. A black man. They hunt him. They will kill him. Please. I... I love him.*

Les yeux de la vieille se rétrécirent.

— *Need a place to hide, huh ?*

— *Yes,* madame. *He wants to get to Halifax. He has family there.*

— *Halifax. Nova Scotia. Not so near.*

Elle avait retrouvé sa moue dubitative. Puis elle pointa la charrette. Le pauvre Prince, entravé par l'attelage, avait dû se résigner à se laisser renifler par une poignée de chiens rachitiques qui étaient eux aussi venus s'informer. L'un deux louchait vers le panier des poulets. Juliette le chassa en répondant au geste de la vieille.

— *These goods are all for you. Or for who you want. Please help us.*

La femme poussa un soupir et lâcha la braoule. Elle jeta quelques mots dans sa langue à une petite fille qui prit sa place près du feu et partit vers la rivière. Juliette demeura là, n'osant bouger, espérant que sa prière serait exaucée. Quelques instants plus tard, la vieille revint avec un homme de petite stature, très brun, trapu, dont le visage énigmatique ne trahissait pas l'âge. Trente ans? Quarante ans? Cinquante? Impossible de lire quoi que ce fût dans ce regard plein d'ombres. Il allongea le menton vers la visiteuse. À la grande surprise de celle-ci, il parlait un français assez correct.

— Quoi c'est que tu veux y dire, à Pascal Bear?

— J'ai besoin de son aide pour cacher un ami dans le bois, répondit-elle, soulagée.

— Pour quoi c'est que tu penses que Pascal Bear va t'aider, toé?

— Parce que mon ami est un esclave et que les Blancs le pourchassent. Il est du bord des esclaves ou de celui des Blancs, Pascal Bear?

L'autre ne répondit pas tout de suite. Il alla vers la charrette, en inspecta le contenu, posa une main sur la tête de Prince qu'il caressa pensivement un instant. Puis, après avoir fait la même moue que la vieille, il dit:

— Je vas venir vous chercher dans la nuit. Faudra pas parler, pas dire un mot. *Right?* Juste me suivre. Vous allez rester *quiet* dans le bois que'qu' temps, puis *next* on va vous faire partir *right thru* pour *Nova Scotia. All right?* Va-t'en chez vous. Attends-moé. M'as viendre quand que ça va être le temps. C'est toute.

Juliette se contenta de hocher la tête. Ce n'était pas la peine de préciser dès maintenant qu'elle ne serait pas du voyage. Il serait bien temps, le moment venu, de laisser partir Cromwell tout seul avec l'Indien. Mais peut-être pourrait-elle l'accompagner jusqu'à la cachette et rester avec lui dans le bois, en attendant qu'il prenne définitivement le chemin de Halifax. Pourquoi pas? Qu'est-ce qui la retenait tant dans sa cabane? Prince viendrait avec eux. On barricaderait le poulailler avec suffisamment d'eau et de grain pour tout le monde. On lâcherait le cochon si l'on n'avait pas pu faire boucherie avant le départ. Combien de temps durerait cette attente dans la forêt? Une semaine. Deux, tout au plus. Elle déchargea les provisions, que la vieille et les enfants saisirent aussitôt pour les emporter plus loin. Puis Prince et elle retournèrent d'où ils étaient venus. Lorsqu'ils parvinrent à la cabane, Cromwell les attendait, fou d'inquiétude. La nuit était bien avancée.

Les heures ne supportent pas d'être comptées. Aussitôt qu'on commence à le faire, elles s'échappent et fuient, de plus en plus vite.

Juliette et Cromwell s'aimaient. Le temps n'existait que pour porter cet amour dans le présent. Y avait-il un destin? Avaient-ils été poussés à se croiser ici, maintenant, par une force qui les dépassait? Quelque chose avait-il décidé, de toute éternité, que cet homme pétri du sang de l'Afrique et cette femme née dans la jeune Amérique se trouveraient ici, près de ce village fondé cent ans plus tôt par des miséreux rescapés du Grand Dérangement, poignée de Français noyés dans une mer d'Anglais? Qui avait décidé de cette rencontre improbable?

L'automne avait fini par arriver. On avait rentré l'avoine, rempli le caveau à patates, fait provision de lard, de mélasse et de fèves pour l'hiver. On avait tué le cochon et on l'avait transformé en jambons, saucisses, lard. Les dernières truites étaient au fumoir. Juliette posait désormais sa main sur le ventre de Cromwell en cherchant, non plus à recréer le contraste merveilleux de leur différence de couleur, mais à s'imprégner de la chaleur qui émanait de son corps, du léger battement de l'artère qui courait vers la cuisse, du mouvement lent et profond de sa respiration. Elle fermait les yeux, la tête au creux de l'épaule dure, et respirait l'odeur de cet amour qui défiait tout ce qui avait jamais existé pour elle. Les coups, les humiliations, tout cela avait valu la peine puisque c'était pour la conduire vers cet homme-là.

Sur le pas de la porte, Prince montait la garde, les yeux mi-clos. Il veillait sur eux, le vieux chien jaune, les oreilles dressées, ne dormait que lorsqu'il les savait parfaitement éveillés. Savait-il combien ces amants-là devaient rester dissimulés au monde? Que regardait-il avec ses yeux mordorés, durant ces après-midi volés? Juliette songeait au poème «Ce que dit la bouche d'ombre»: *Là, dans l'ombre, à tes pieds, homme, ton chien voit Dieu.* La bonne vieille bête, comme toutes les bêtes, elle comprenait, à l'instar de monsieur Hugo, que *tout est plein d'âmes.* Juliette fermait les yeux, la joue chauffée par la peau de son homme, et s'assoupissait dans la moite chaleur du poêle, que l'on devait recommencer d'allumer les jours où le soleil ne se montrait pas.

La petite femme ne retournait plus que très peu au village. Ces fois-là, elle avait pourtant eu vent de rumeurs de plus en plus inquiétantes concernant les rabatteurs d'esclaves. On les avait vus à St. Stephens, ils avaient fouillé une ferme non loin de la rivière Sainte-Croix. Le bootlegger Robichaud prétendait savoir de bonne source que ces hommes recherchaient un fugitif qui aurait passé la frontière en traversant la rivière tout près d'ici.

— Bah! avait commenté Jos Thibodeau en crachant sa chique noire dans le crachoir de cuivre du magasin général, si y avait un Nègre par icitte, on l'aurait vu.

— En tout cas, avait répliqué Freddy Robichaud qui venait de rapporter les paroles de son frère, paraît qu'on pourrait se faire une couple de piasses si on le pognait. Les gars des États, ils sont prêts à payer pas mal pour leu's Nègres.

Juliette avait fini de décharger ses navets en cachant sa nervosité, mais n'avait pu s'empêcher de sursauter violemment quand, en se dirigeant vers la sortie, elle avait entendu une des femmes qui farfouillaient dans les coupons de tissu demander d'une voix criarde :

— Pis c'est-y vrai, ça, qu'y a un de ces gars-là des États qui est ton neveu, Robichaud ?

— Paraîtrait, paraîtrait, madame Boudreau. On va ben voir. Si y est dans le coin, y va ben manque venir saluer sa femme !

Elle s'était heurtée durement au chambranle et était sortie précipitamment, sous les rires moqueurs des habitués du magasin. Depuis, elle n'était pas retournée au village. Elle n'avait pas non plus osé rapporter ces paroles à Cromwell, comme si, les gardant pour elle, elle les éloignait de la réalité.

Puis, un soir de novembre, il devait être passé minuit, Prince dressa les oreilles et se leva de son poste en grognant vivement. Ils surent immédiatement de quoi il s'agissait. Ils rassemblèrent leurs affaires en vitesse, saisirent un jambon, du lard, un sac de fèves séchées, un petit baril de mélasse et Juliette sortit fermer le poulailler tandis que Cromwell attelait le chien à la charrette. Pascal Bear, enroulé dans un capot de chat, les yeux brillants sous son chapeau de feutre, les attendait, une pipe au fourneau rougeoyant à ses lèvres.

— *Hurry up!* siffla-t-il entre ses dents, sans lâcher la pipe. Les maudits sont pas loin d'icitte. Venez-vous-en. Va falloir marcher vite.

Ils marchèrent. Vite. Longtemps. Le sol de la forêt, accidenté, leur ménageait à chaque instant des pièges faits de racines, d'affleurements rocheux, de fondrières. Une fine pluie d'automne pénétrait leurs vêtements de laine. Dans les souliers de cuir de bœuf cousus par Juliette, les pieds clapotaient au rythme des pas de plus en plus hésitants. On avait dételé le chien après quelques heures, le chemin devenant trop hasardeux pour la charrette. Prince portait désormais deux grosses besaces sur son dos et suivait sa maîtresse, museau bas, queue à terre, harassé, fidèle. Au milieu du jour, hagards, épuisés, transis, ils atteignirent la cachette de Bear. C'était une cabane encore plus sommaire que celle de Juliette, plutôt une espèce de tente en fait, un assemblage de perches, de grands morceaux d'écorce de bouleau et de branches d'épinette. On tenait difficilement à deux dans cet espace exigu. Mais ce n'était pas pour longtemps. Dès que Robichaud et ses hommes seraient retournés vers le sud, on prendrait la route de Saint-Jean.

— Vous allez rester icitte, dit Pascal Bear. Je vas revenir vous chercher quand les maudits seront repartis. Toi, la femme, tu vas à Halifax aussi?

— Non, juste en attendant que tu reviennes nous chercher. Je vais le rejoindre plus tard là-bas. Au printemps, répondit Juliette en considérant la besace contenant la nourriture dont Cromwell était en train de délester le chien.

De bien maigres réserves pour nourrir deux personnes durant quelques semaines.

L'Indien avait vu son regard.

— Saumon fumé. Viande et bleuets séchés, dit-il en tendant la sacoche qu'il portait lui-même à l'épaule. Pour le reste, tu sais poser des collets. Pis pour l'eau, y a un ruisseau pas loin.

Elle acquiesça d'un bref signe de tête. Elle saurait préserver leurs vies en attendant le retour du guide. Cromwell s'était assis sur ses talons. Silencieux, il caressait la tête de Prince qui était venu se blottir contre lui. Une légère buée sortait d'entre ses lèvres. Ses yeux posaient leur regard sombre sur Juliette, pleins d'amour. Confiants. Il avait l'air épuisé. Elle sentit soudain ployer son corps sous le poids de cette responsabilité qu'elle avait prise en ouvrant son cœur à cet homme, aux dangers auxquels elle s'exposait elle-même en lui portant assistance, dangers dans lesquels elle avait aussi entraîné le Passamaquoddy en requérant son secours. Un pressentiment néfaste lui étreignait la poitrine. Quelque chose les guettait. Quelque chose de mauvais se tenait dans l'ombre et attendait que son heure vienne. Pascal Bear dut percevoir l'inquié-tude de Juliette puisqu'il lui dit, en plissant ses petits yeux de carcajou dans une sorte de sourire sans la bouche :

— Ça va être correct. Y a pas de danger icitte. Si tu gardes un feu allumé, les bêtes s'approcheront même pas. T'attacheras la poche de manger après un arbre. Les ours seront pas ouachés avant une couple de semaines. *Right ?*

Il les aida à faire un feu et, après leur avoir une dernière fois recommandé de le maintenir constam-ment allumé, il partit. Il reviendrait à la lune noire. Dans trois semaines. D'ici là, le fils Robichaud serait retourné vers les États. Cromwell pourrait sans danger prendre le chemin de Saint-Jean où il trou-verait certainement une goélette pour l'emmener vers Digby. Une fois en Nouvelle-Écosse, il gagnerait Halifax. Juliette attendrait de ses nouvelles et irait l'y rejoindre le printemps venu. Là-bas, dans cette grande ville portuaire, il y avait d'autres réfugiés, des familles entières qui s'étaient installées en péri-phérie de la ville et y avaient construit des maisons. Là-bas, ils pourraient vivre. Libres.

Cromwell était malade. Dès le lendemain de leur arrivée ici, trop faible, il avait dû rester coucher. Depuis quatre jours déjà, il grelottait de fièvre. Juliette le soignait tant qu'elle pouvait. Les alentours fournissaient bien des remèdes : résine d'épinette, branches de cèdre, écorce de sorbier faisaient une tisane antiseptique à laquelle s'ajoutaient des fumigations d'immortelles dont elle parfumait la hutte tous les soirs. Elle faisait bouillir la viande de lièvre et de perdrix à l'ail des bois. Mais rien ne semblait vouloir chasser le mal. Cromwell n'avalait presque rien et s'affaiblissait. De temps à autre, il disait : «*Sorry*, ma namourre... *Sorry*...» Elle lui caressait le front avec un sourire pour le rassurer.

C'était elle qui devait être désolée. C'était pour elle qu'il avait travaillé si fort la nuit, ne dormant quasiment pas, ni le jour non plus puisqu'ils en consacraient pratiquement chaque instant à célébrer leur amour. Il s'était épuisé, il avait usé ses forces, les pauvres forces qui lui restaient après son long voyage depuis la Virginie, et son corps n'avait pu résister au froid, lui qui venait de terres où le soleil chauffait toute l'année. Juliette redoublait de soins et d'attentions pour son homme, tandis que passaient les jours qui les rapprochaient de la lune noire et du retour de Pascal Bear qui les informerait que le chemin était sûr jusqu'à Saint-Jean. La jeune femme se surprenait à prier, elle qui n'avait eu foi jusqu'alors qu'en sa propre résistance. «Sainte Marie, sauvez-moi celui-là...»

Assise par terre à ses côtés, elle regardait Cromwell. Il dormait, les yeux crispés, d'un sommeil douloureux, entrecoupé de gémissements et de spasmes. De temps à autre, un frisson lui traversait le corps et une sueur aigre lui perlait au front. Juliette épongeait avec de la sphaigne séchée le beau visage fier qui avait affreusement pâli, pour prendre une teinte d'un gris fuligineux vraiment inquiétant. Elle leva ses yeux vers le ciel qu'elle distinguait à travers le trou ménagé dans le toit de la hutte pour laisser sortir la fumée du petit poêle en fer. La lune noire était passée, déjà un fin croissant se dessinait sur la voûte céleste. Son amour ne se remettait pas du mal qui le rongeait. Et Pascal Bear n'avait toujours pas reparu.

Qu'est-ce qui avait bien pu le retenir? Elle savait, au plus profond d'elle-même, que cet homme ne pouvait pas les avoir trahis. La parole avait encore de l'importance pour ses gens sans écriture. Elle était sacrée. Si l'on promettait, on tenait sa promesse. Alors, quelque chose — ou quelqu'un — avait empêché l'Indien de venir les rejoindre. Juliette songeait qu'ils ne pourraient pas rester encore longtemps dans la forêt. L'air sentait la neige. Les feuilles mortes, ce matin, arboraient des robes de frimas qui ne laissaient aucun doute. Prince enterrait les restes de nourriture qu'elle lui donnait et chassait de petits animaux pour se sustenter. Les bois devenaient silencieux. Les bêtes rentraient dans leurs tanières. La nuit, le ciel s'emplissait des cris assourdissants de milliers d'oies sauvages volant vers le Mexique. L'hiver arrivait. Combien de temps encore Cromwell et elle pourraient-ils rester tapis dans les épinettes? Si l'état de son protégé se dégradait encore, ils ne pourraient plus partir. Et s'ils ne partaient pas, ils devraient hiverner là où ils se trouvaient, dans cette clairière perdue, sans abri véritable, sans réserves de nourriture. Il fallait prendre une décision.

Juliette baissa les yeux vers Cromwell. Il haletait comme un chiot, le visage couvert de sueur. Il ne pourrait marcher bien loin dans cet état. «Qu'est-ce qu'on va faire, Prince?» murmura-t-elle en saisissant sa boule de sphaigne. Le chien gémit sourdement. Il était nerveux, depuis ce matin. Il avait passé la journée à aller et venir entre la hutte et le ruisseau en reniflant le vent, la queue en l'air, comme s'il y avait eu, quelque part dans les environs, une chienne en chaleur. De temps en temps, il laissait échapper un grognement bref, mais profond. Sans doute un ours, non loin, qui préparait son terrier. Ou un coyote qui rôdait. Ou peut-être sentait-il simplement l'angoisse de sa maîtresse. Comment savoir? Cela inquiétait la jeune femme, car son chien n'avait pas l'habitude d'être si tendu. Juliette trempa la mousse dans un petit bol d'eau et humecta les lèvres de Cromwell qui tremblait. Ses belles lèvres pleines, elles étaient toutes crevassées maintenant. Il fallait qu'il boive plus. Elle jeta une poignée d'écorce de sorbier dans la petite marmite de fonte et chercha des yeux le seau. Il était près de la porte. Elle se souvint de l'avoir déposé là, une fois vide, en prévision du prochain voyage au ruisseau. Elle soupira et se leva péniblement, les longues heures au chevet de son amour ayant rouillé ses articulations. Elle saisit le seau et, comme elle sortait de la hutte, le chien fit mine de la suivre.

— Non, Prince ! Tu restes là, avec Cromwell.

L'animal se recoucha au chevet du malade, le nez dans les pattes, et se contenta de suivre des yeux la jeune femme qui s'enfonçait dans les arbres.

Le ruisseau était à quelques minutes de marche de la cabane. On l'entendait à peine du campement, mais son clapotis devenait audible après une cinquantaine de pas. Juliette aimait bien ce bruit. Elle aimait la beauté du monde en général, la lumière qui fusait entre les branches, l'air piquant de cette fin d'automne, la brume qui montait de la terre au matin, l'ombre que jetait le grand pin rouge qui surplombait leur hutte, tout. L'odeur de l'eau remplissait ses narines. Quelle sérénité dans ces lieux oubliés de tous. Quelle paix. Comment ne pas penser, encore, à son cher monsieur Hugo. Elle leva les yeux vers les frondaisons.

— *Arbres de la forêt, vous connaissez mon âme*, récita-t-elle. Oh, je vous en prie, faites que je me trouve là-bas, à Halifax, avec mon amour !

Rien ne lui répondit, que le froissement des branches et le gargouillement du ruisseau. Aucun

autre son ne perçait les murs végétaux qui constituaient leur sanctuaire. Aucun, vraiment? Au
moment où elle s'agenouillait pour plonger son seau
dans l'eau glaciale et cristalline, il lui sembla qu'elle
entendait des voix. Elle suspendit son geste, se
redressa, tendit l'oreille.

Oui! Des voix! Des voix! C'était Pascal Bear,
enfin, qui revenait les chercher!

Dans sa hâte de rejoindre leur sauveur, elle lâcha
le seau qui resta dans l'eau, à moitié immergé.

Ce n'était pas Pascal Bear. Elle aurait dû s'en
douter tout de suite, puisqu'elle avait entendu plusieurs voix. L'Indien était venu seul les conduire ici,
il aurait logiquement dû revenir seul les chercher.

Comme elle s'approchait du campement, des
aboiements furieux lui parvinrent. Prince… Il
n'aurait pas jappé comme ça après quelqu'un qu'il
connaissait. Elle pressa le pas. Le sol du sous-bois,
accidenté, truffé de racines comme autant de pièges,
la ralentissait comme un vilain sortilège. Les voix
lui arrivaient maintenant claires. C'étaient des
Acadiens, pas des Indiens. Elle les entendait parfaitement, maintenant. C'était du français. Des
Acadiens! On avait trouvé leur cachette!

Le chien jappait toujours. Juliette courait, l'air
froid lui déchirait la poitrine, elle criait peut-être,
elle criait sans doute le nom de Cromwell parce

qu'elle avait compris, elle avait deviné tout à coup qui se trouvait là, qui avait remonté leur piste pour venir les cueillir ici comme des fleurs, de pauvres fleurs d'automne. Comme elle approchait, elle se rendit compte que Prince s'était tu. N'y avait-il pas eu un coup de feu? Ou était-ce son cœur à elle qui battait trop fort dans ses tempes?

Quand elle déboucha dans la clairière, elle s'arrêta net, le souffle haché, pétrifiée par le spectacle. Deux chevaux bais à la crinière noire grignotaient une touffe de trèfle étiolée. Devant l'entrée de la hutte gisait un tas de poils jaunes. Prince. Et là, là, près du feu, deux hommes tenaient Cromwell par les bras et le traînaient vers les arbres. L'un des hommes avait un long fouet de cuir enroulé autour de l'epaule. Robichaud le fils. L'homme tant haï qui avait fini par revenir la hanter. L'autre était son oncle Freddy, celui qui avait fait des farces à son sujet la dernière fois qu'elle était allée au village.

Elle avait dû faire craquer une branche, parce que les deux hommes se retournèrent. Lorsqu'il la vit, son «époux» ricana.

— Qu'est-cé qu'on a là? C'est-y pas ma femme, icitte, en plein bois? Viens pas me dire que t'étais en ménage avec le Nègre!

— On l'a toujours su que c'était une guidoune, la Juliette! ajouta l'oncle en crachant par terre. Un Nègre! 'Têt' ben même qu'a fourniquait avec le chien, ouère.

— C'est-y vrai, ça, la femme? Ça se peut ben. Un chien ou un Nègre, c'est trop privé de génie pour s'apercevoir que t'as un œil qui se sacre de l'autre pis que t'es pas ben, ben fine.

Robichaud fils ne la quittait pas des yeux tandis qu'avec son oncle il ligotait Cromwell, à moitié délirant de fièvre, au tronc du pin rouge. Le regard de Juliette allait du cadavre de Prince à la silhouette tordue de son amour, dont la tête pendait misérablement sur la poitrine.

— Non… éructa-t-elle.

De sa gorge serrée ne sortait qu'un filet de voix étouffé. Elle fit un mouvement pour s'approcher.

Le jeune Robichaud saisit aussitôt sa carabine pour la mettre en joue.

— Toi, si tu veux pas finir comme ton bestiau, fais pas rien. Viens ouère icitte. Doucement. C'est ça. Amène-toi.

— Si ça se peut, une mauvaise épouse de même, fit l'aîné avec un sourire mauvais. Même pas à 'maison pour accueillir son homme. Crois-tu qu'on s'est pas doutés quand on a trouvé ta cabane vide, p'us de hardes dedans, p'us de cochon, rien? On s'a dit que t'avais charché de l'aide chez les Indiens pis qu'ils avaient pu t'amener icitte. C'est une vieille cache, icitte. Mon frère a déjà caché du miquelon icitte. C'était une bonne cache à miquelon. Mais ç'a l'air que c'est pas une bonne cache à Nègre.

Il se racla la gorge et cracha un gros amas de glaires aux pieds de Cromwell qui ne se rendait pas vraiment compte de ce qui se passait. Juliette songea que pour cette fois, la fièvre avait du bon.

— C'est même pas le Nègre qu'on charchait, poursuivit Robichaud fils avec une moue. C'est ben de valeur. En plus, celui-là, y est maganné. Y vaut p'us rien. Ça vaut même pas la peine de le ramener. On est aussi ben de le rachever icitte.

Cette fois, elle entendit clairement le coup de feu.

Comme une somnambule, Juliette avançait vers les deux Robichaud. Elle savait que le malheur avait frappé, qu'elle n'y pouvait rien, qu'il irait jusqu'au bout de sa besogne. Elle se dit, en s'écrasant par terre au pied du pin, que son destin n'avait jamais été d'être heureuse. Qu'aimer un homme noir et être aimé de lui n'était probablement pas acceptable et que Dieu maintenant la punissait d'avoir osé croire qu'elle avait droit à cela, elle, d'avoir pu imaginer qu'elle avait droit à la poésie, à la tendresse, au bonheur. Quand le jeune Robichaud souleva ses jupes, elle n'avait plus en tête que ce vers, qui tournait dans son esprit comme une litanie : *Le monde est sombre, ô Dieu !*

Pascal Bear avait été retenu par un chasseur américain qui appréciait tant ses talents de guide qu'il avait voulu continuer encore quelques jours à traquer l'orignal. L'Indien ne pouvait planter là son client, ce qui l'aurait privé de la paie au complet. Sa communauté avait besoin de cet argent. Il était resté avec son client jusqu'à ce que celui-ci tue enfin, après deux femelles et un jeune du printemps, le gros panache qu'il convoitait tant.

Il les avait trouvés deux jours après la visite des Robichaud. Cromwell, toujours ligoté, pendait sur ses cordes comme un pantin désarticulé. Juliette avait rampé jusque dans la hutte, avait ôté ses vêtements ensanglantés et s'était enroulée dans les fourrures, ses *Contemplations* serrées contre sa poitrine, pour attendre la mort. Prince gisait toujours devant l'entrée, gardien désormais impuissant des souffrances de sa maîtresse.

L'Indien avait fait boire Juliette et avait enterré Cromwell et Prince côte à côte au pied du pin, non pas comme deux bêtes, mais comme deux compagnons des jours de bonheur. Ne sachant pas écrire, il avait gravé dans l'écorce, avec son couteau croche, la silhouette d'un homme et celle d'un chien. Il avait ramené la jeune femme à Small Falls où on l'avait soignée. Sa grossesse parut tout de suite évidente aux femmes qui avaient soin d'elle.

Quand elle fut sur pied, Juliette refusa de retourner dans son ancienne demeure. Pascal Bear la conduisit à Saint-Jean où elle prit un bateau pour Digby qu'elle paya avec une partie de l'argent du chasseur américain que l'Indien avait tenu à lui donner. De là, elle se rendit à Halifax en diligence.

Elle trouva la famille de Cromwell et n'eut pas de difficulté, une fois qu'elle eut tout raconté, à s'y sentir à sa place. Tout ce qu'elle avait gardé de son ancienne vie, c'était son exemplaire des *Contemplations*.

— Vite, vite, Victor ! *Hurry up !* Sors du trou d'eau tout de suite !

La femme tendait la main au petit garçon qui courait vers elle. Il avait sept ou huit ans, des cheveux bruns bouclés et le teint café au lait. La femme était maigre, ses yeux se perdaient derrière d'épaisses lunettes et sa mise modeste trahissait une vie de privations : une robe foncée sans crinoline, des cheveux lisses attachés sagement en chignon et une peau blanche sans fard.

Le petit Victor courait vers Juliette qui lui ouvrait les bras maintenant, riant au petit ouragan qui venait sur elle. Il ne vit pas la silhouette nerveuse qui se dirigeait droit sur lui, sortant d'une librairie. La collision fut brutale. Les deux protagonistes tombèrent à la renverse. Victor se mit à sangloter tandis que la jeune dame marchait à quatre pattes, tentant de ramasser les feuilles de papier qu'elle venait d'acheter et qui maintenant s'envolaient dans toutes les directions. « Mes lettres, mes lettres… marmonnait-elle en agrippant les feuillets voletants. Il faut que j'envoie des lettres… »

Juliette, saisie, cessa de cajoler Victor. Comment? Elle parlait français, cette femme! Ici, à Halifax! Elle se mit à ramasser les feuilles avec la jeune femme qui, très vite, lui parut confuse, hagarde.

— Bonjour, dit Juliette en français, en lui remettant une poignée de papier.

L'inconnue ne répondit pas, promenant ses beaux yeux noirs autour d'elle avec effarement. Puis elle posa sur Juliette un regard d'une tristesse infinie. Son visage pâle aux traits fins reposait, comme dans un écrin de velours, entre deux bandeaux de cheveux noirs brillants, très lisses.

— Mon beau papier neuf, dit-elle d'une voix brisée. Je voulais... Je voulais écrire à mon père.

Le beau visage s'éclaira, envahi par une joie soudaine.

— Je vais me marier, vous savez. Je vais me marier avec Albert. Il faut que je le dise à mon père. Mon bon papa, il sera bien content.

Juliette pensa que cette superbe créature avait probablement perdu l'esprit. Songeant qu'il s'en était fallu de peu qu'elle perde le sien aussi, elle se dit que le malheur n'épargnait personne et qu'elle pouvait bien prendre un peu de temps, elle, pour aider une plus démunie.

— Où est-ce que vous habitez, chère? interrogeat-elle en aidant la jeune femme à se relever.

— Par là. Chez les Saunders.

Et elle donna l'adresse.

Ce n'était qu'à quelques coins de rue. Juliette et Victor la raccompagnèrent. Au bout de quelques pas, le petit garçon et la jeune inconnue papotaient comme de vieux amis. Avant qu'elle ne s'engouffre complètement derrière la grosse porte en bois, Victor lui demanda très poliment en français, avec son accent anglais :

— Comment vous appelez-vous, mademoiselle ?

Sa nouvelle amie sourit et lui passa tendrement sa main gantée sur la joue.

— Adèle. Je m'appelle Adèle.

Et elle disparut derrière la porte.

MICHOU

Il s'appelait Michel. Elle le savait parce qu'elle avait si souvent entendu sa mère l'appeler. «Crier après lui» aurait été plus approprié pour désigner la manière dont elle beuglait :

— Micheeeeeeel ! Arrive icitte, ça presse !

Elle l'observait depuis quelques minutes par la fenêtre de la cuisine. Pieds nus, vêtu d'un caleçon douteux et d'un t-shirt étiré, il se tenait assis sur ses talons au bord d'une flaque d'eau où couraient les reflets irisés de traînées d'essence. Fasciné, il contemplait les frémissements imposés à cet arc-en-ciel impromptu par le vent qui soufflait fort, intensifié par l'étroit couloir formé par la ruelle. De sa bouche sortaient de petits nuages de buée au rythme de sa respiration. On était en novembre.

Elle soupira, essuya ses mains trempées d'eau de vaisselle et tira de quelques centimètres la petite fenêtre à glissière.

— Michou ?

L'enfant ne répondit pas. Mon Dieu, il était gelé à ce point !

— Michou ? Miche ! Hé, c'est moi, Brigitte ! Tu voudrais pas des biscuits avec une bonne tasse de chocolat chaud ?

L'interpellé leva enfin la tête. Ses traits tirés s'éclairèrent d'un pâle sourire.

— Salut Bridge. J'ai pas faim, hein, j'ai dîné.

— Je sais. Viens pareil, j'ai envie de jaser.

Il acquiesça d'un signe de tête et déplia ses genoux avec peine, comme s'ils avaient été coincés dans cette position par le froid. Peut-être était-ce le cas, en fait. Il s'en venait d'un pas qui se voulait nonchalant, mais dont la raideur trahissait l'effort qu'il déployait pour ne pas grelotter. Elle lui ouvrit la porte de derrière.

— Viens-t'en. On va faire chauffer du lait. J'ai des biscuits Village. T'en veux pas un ou deux quand même, hein, même si tu as dîné ? L'appétit vient en mangeant, il paraît.

— J'vas en prendre deux pour te faire plaisir. Petit-Gibus est-tu là ?

— Il dort sur mon oreiller, qu'est-ce que tu penses ? C'est pas aujourd'hui qu'il va oser mettre le nez dehors, frileux comme il est. Dépêche-toi d'entrer, on gèle.

Elle s'en voulut tout de suite d'avoir dit cela. On gèle. Comme s'il ne l'avait pas su mieux que personne. Elle le regarda aller vers la chambre de son pas de gendarme en appelant d'une voix douce le gros chat gris avec qui il entretenait une relation proprement fraternelle: coups de gueule, griffures, bouderies, mais aussi — surtout — grandes séances de câlins pleines de ronrons. Cette étonnante connivence ne s'était jamais démentie depuis leur première rencontre, en juillet dernier.

Versant le lait dans la casserole, elle sourit aux mots doux prononcés par le petit garçon:

— Viens-t'en, mon gros tas. Viens te faire flatter. Montre-moi ça, cette grosse bedaine-là.

Puis elle rit franchement lorsqu'elle l'entendit s'exclamer:

— Hostie, y a encore engraissé, tabarnac!

— C'est son gras d'hiver. Comme ça, si jamais il se décide à sortir d'ici le mois de mars, il mourra pas de froid.

Oh, merde! Encore. Décidément. Elle fourragea dans le garde-manger, à la recherche de la boîte de biscuits Village. Michel raffolait de ces biscuits secs qu'il trempait indifféremment dans le lait chaud ou froid, chocolaté ou non, et dont il croquait ensuite avec délice les côtés ramollis. Il en acceptait toujours un ou deux, mais il engouffrait le quart de la boîte à chaque fois. Affamé, toujours. La jeune femme aurait bien voulu lui donner plus. Un vrai repas. Des légumes, des fruits. Mais d'abord, elle n'osait pas s'interposer entre sa famille et lui. L'enfant répondait, chaque fois qu'elle lui offrait de la nourriture, qu'il avait déjà mangé. Le message était clair: la mère l'avait sans doute averti. Puis

Brigitte n'avait pas les moyens d'offrir grand-chose. Elle-même étudiante, sans travail, elle vivait chichement du régime de prêts et bourses du gouvernement. Elle parvenait tout juste à payer ce loyer minuscule, au rez-de-chaussée d'un immeuble décati d'un quartier populaire, sa scolarité, ses livres. La nourriture... On faisait durer le plus possible, on mangeait beaucoup de pâtes et de riz, du poulet, du bœuf haché à l'occasion. Carottes, choux, navets, parfois des pommes complétaient un menu strictement hygiénique. Ce mois-ci, cependant, la saison des clémentines débutait. Elle n'avait pas pu s'empêcher d'en acheter une caissette. Lorsque Michel revint vers la cuisine, portant dans ses bras l'énorme chat qui débordait de partout, elle avait posé sur la table les cinq derniers biscuits, une tasse de chocolat fumant et deux clémentines. Le garçon se précipita sur l'assiette puis s'arrêta net.

— Sont petites en crisse, tes oranges !

— C'est des clémentines. C'est plus sucré qu'une orange. Goûte !

Il en saisit une.

— Tu me l'épluches ?

— Fais-le toi-même.

— J'suis pas capable d'éplucher des oranges, c'est trop difficile.

— Essaie, tu vas voir. Les clémentines, c'est facile.

L'air sceptique, il perça la pelure de son petit ongle sale et trop long. Ses yeux s'écarquillèrent immédiatement, alors qu'il réalisait que cela venait tout seul. Il sourit triomphalement en brandissant son trophée : une longue lanière orange luisante. Brigitte applaudit d'un geste théâtral tandis qu'il achevait de sortir le fruit de sa tendre gangue.

— Goûtes-y, maintenant.

— Ça fait des tout petits morceaux, des bébés morceaux, constata le petit bonhomme.

— On dit des quartiers.

— Des bébés quartiers. Hmmmm ! Ch'est vrai que ch'est chucré !

— Tu veux qu'on coupe tes ongles, Michou ?

Il commença par cacher ses petits doigts dans ses paumes, puis les lui tendit avec une moue résignée comme elle fourrageait dans le tiroir pour trouver le coupe-ongles.

Il avait les ongles noirs de crasse, bien sûr, mais surtout, il avait le bout des doigts rougi, des bleus sur le dos des mains. Brigitte soupçonnait bien qu'il en avait ailleurs, des bleus. Elle n'avait jamais osé vérifier. Elle en voyait sur les jambes, parfois, larges comme… comme un mauvais coup. Lorsqu'il surprenait son regard, il trouvait rapidement moyen de détourner son attention. Il se mettait à parler, le plus vite qu'il pouvait, inventant à mesure une histoire sans queue ni tête, mais très drôle. Il était si intelligent… Pourtant elle n'avait pas l'impression qu'il allait vraiment à l'école. Il était toujours dans la ruelle, plus ou moins bien vêtu, ses grands yeux faisant comme des taches sombres dans son visage blême.

Le soir, elle entendait des bruits terribles au-dessus de sa tête. Bousculades, cris, pleurs. Parfois des bribes de paroles lui parvenaient. C'était le père (était-ce le père?) qui hurlait sur la mère, une petite femme toute frêle et hagarde qui ne sortait presque pas. Il la traitait de salope, de pas de classe, de tas de merde. Il lui répétait *ad nauseam* qu'elle avait bien de la chance qu'il la garde et que sans lui elle finirait dans une poubelle avec son déchet de flo. Et il la battait. Brigitte percevait bien le bruit sourd des coups. La femme ne criait pas. Jamais. Le garçon non plus, d'ailleurs. Il arrivait qu'il parvienne à Brigitte, les soirs où l'homme ne rentrait pas, des gémissements étouffés. La femme, sans doute, qui pleurait son désespoir.

Ces soirs-là, la jeune fille ne pouvait s'empêcher d'être tout entière aspirée par ce qui se passait si près d'elle, juste au-dessus de sa tête. Blottie dans son vieux fauteuil, Petit-Gibus en boule sur son ventre, elle laissait glisser son livre sur le coussin, incapable de se concentrer plus longtemps. Les yeux fixés au plafond, elle laissait flotter sa pensée vers cette femme et son petit garçon pris dans les filets de la misère. Qu'est-ce qui les avait conduits là, tous les deux? Manifestement, la mère paraissait parfaitement incapable de s'occuper convenablement de son enfant. Qu'y avait-il sous les apparences? La violence, bien sûr. Celle-là, elle était incontestable. Et le reste? Pourquoi ce petit ne mangeait-il pas à sa faim? Le père travaillait, pourtant. Le jeu, la drogue, l'alcool? Quel démon faisait qu'un petit garçon vive dans de telles conditions? Comment un pays aussi riche que le sien pouvait-il permettre que cela existe?

Brigitte avait pris une décision. Seule, sans le sou, elle avait hésité longtemps à la prendre. Mais il le fallait. Elle ne voyait pas autre chose à faire. Elle n'avait pas le choix. Elle aimait trop cet enfant pour laisser les choses comme ça.

— Michou? dit-elle tandis que le petit garçon enfournait dans sa bouche le dernier biscuit imbibé de chocolat chaud.

— Mguoi?

— Il faut que je te parle de quelque chose de sérieux. Tu veux bien m'écouter?

Il arrondit les yeux exagérément pour montrer qu'il était attentif.

— Michel, on est des vrais amis tous les deux, non?

L'enfant acquiesça.

— Tu crois qu'on serait capables de vivre ensemble?

— Quoi? Tu veux venir rester chez nous? s'étonna le petit.

— Mais non, grand nono. Je pensais juste qu'on pourrait peut-être essayer que toi, tu viennes rester avec moi.

— Avec Petit-Gibus aussi?

— Bien sûr, avec Petit-Gibus aussi.

— Tu veux m'adopter, alors?

Le petit visage s'était rempli d'un espoir lumineux. Et tellement, tellement douloureux. Elle soupira. Elle allait le décevoir.

— Non, Michou. Je peux pas t'adopter. Ce serait trop compliqué. Je pense que ce serait pas possible, en tout cas pas tout de suite. Tu as déjà une famille, tu sais.

Il se renfrogna. Elle s'assit sur l'autre chaise et lui prit les joues entre ses mains pour qu'il la regarde bien dans les yeux.

— Écoute. T'en parles à personne, OK? PERSONNE. Tu te tais jusqu'à ce que je te dise que c'est réglé. OK? Moi, je vais demander à ta mère si elle veut bien que tu viennes passer quelques jours avec moi. Si ça va bien, on verra si on peut essayer plus longtemps. OK?

Il hochait la tête gravement chaque fois qu'elle disait «OK?». Elle lui sourit et caressa d'un doigt une oreille crasseuse.

— Mais par exemple, poursuivit-elle en fronçant les sourcils, il va falloir que tu ailles à l'école comme il faut. Si tu ne vas pas bien à l'école, tu ne pourras pas rester avec moi. C'est très, très, très important pour moi, l'école, tu comprends? OK?

Oh, oui, il comprenait. Tout son petit être vibrait d'espoir. Brigitte regrettait déjà de lui en avoir parlé. Et si cela ne marchait pas? Une telle déception ne sèmerait-elle pas la colère dans cette âme déjà flétrie de laideur? Et qu'est-ce qui les attendait, si cela ne fonctionnait pas bien? Ouvrait-elle sa porte à un

monstre endormi? Mais elle l'aimait tellement, ce
petit gavroche. Elle l'aimait de tout son cœur. Oui.
Il le fallait, il ne pouvait en être autrement. Il n'était
pas apparu dans sa vie pour rien. Demain, elle
parlerait à la mère. Pas aujourd'hui. Avant, il fallait
qu'elle prépare ses arguments.

— Allez bonhomme, va-t'en chez vous maintenant. Demain matin avant mes cours, je vais aller
voir ta mère. Mais en attendant, tu dis rien à personne, compris? OK?

— Personne! jeta-t-il en s'engouffrant dans la
porte.

Elle le regarda courir et sauter dans les flaques
d'eau pour rejoindre la porte voisine qui donnait
sur l'escalier menant à l'étage au-dessus. Il avait
des ailes. Son cœur se serra, comme lorsqu'on s'ap-
prête à sauter dans le vide.

Elle eut une nuit agitée de cauchemars et de
bruit. Une fois, elle s'éveilla. Il lui sembla que
quelque chose de très lourd était tombé dans la
pièce. Mais au bout de quelques secondes, elle dut
bien admettre que tout était silence dans la bâtisse.
Un rêve. Elle était anxieuse de la conversation qui
s'en venait avec la mère de Michel. C'était normal.
Il ne lui était même pas venu à l'esprit de consulter
le père. Lui! Elle ne voulait pas avoir affaire à lui.
De toute façon, c'était tout simple: Michel pourrait

dormir chez elle, elle prendrait soin de lui, s'assu-
rerait qu'il aille à l'école et ne demanderait rien en
échange. Il pourrait aller et venir entre les deux
appartements comme cela lui conviendrait. C'était
un arrangement tout à fait correct. Pas besoin de
déranger les services sociaux avec cette histoire.
Cela ne ferait que compliquer les choses et, en bout
de ligne, peut-être même les empêcher. Oui. Son
idée était la bonne. Simple et bonne. Elle se ren-
dormit, la main sur le ventre moelleux du chat.

Elle surveillait son vieux grille-pain qui ne sau-
tait plus tout seul, attendant ses rôties, quand elle
entendit l'ambulance. Le couteau dans une main,
le pot de beurre d'arachides dans l'autre, elle étira
le cou pour regarder par la petite fenêtre à glissière.
Le véhicule jaune entra dans la ruelle et s'arrêta
devant chez elle. Paralysée, incrédule, elle regarda
les deux ambulanciers en sortir, prendre la civière
à l'arrière, ouvrir la porte qui conduisait chez
Michel. Elle entendit leurs pas qui couraient dans
l'escalier, leurs poings qui martelaient la porte, leurs
voix qui criaient : «Ouvrez, c'est l'ambulance!» La
voiture de police arriva peu après.

Les toasts brûlaient dans le grille-pain. Brigitte,
collée maintenant contre la vitre, suivit des yeux
les deux policiers qui allaient monter à la suite des
ambulanciers. Entendit d'autres pas, d'autres voix,

d'autres coups sur la porte. La fumée des toasts avait déclenché l'avertisseur d'incendie. Elle n'en percevait même pas le cri. La ruelle semblait s'étendre à l'infini, grise et froide jusqu'à la fin du monde.

Les ambulanciers ressortirent en premier avec la civière. Sous la couverture rouge-brun, une petite forme ratatinée, sans visage. Derrière venaient les policiers, encadrant le père menotté. À la fin du cortège, la femme, plus frêle que jamais, titubait. La civière fut enfournée dans l'ambulance, l'homme, dans la voiture de police. La chaleur des pots d'échappement faisait vibrer l'air comme un mirage, comme si ce spectacle n'avait été qu'une projection imaginaire.

L'homme fut poussé à l'arrière de la voiture de police pendant que l'ambulance partait sur les chapeaux de roues. L'un des agents vint aider la femme à pénétrer à son tour dans l'habitacle. Une fois installée sur le siège, elle se tourna vers la fenêtre de Brigitte. Elle lui jeta un long regard aigu, un regard de haine absolue. Puis la portière se referma.

Alors, dans le hurlement de l'avertisseur d'incendie, la gorge assaillie par la fumée des toasts oubliés dans le vieux grille-pain, Brigitte se laissa tomber sur une chaise et pleura, serrant contre elle son pot de beurre d'arachides.

CARNAVAL

C'était une nuit calme et douce, une de ces nuits de février où l'hiver semble s'être endormi pour de bon, où l'air sent l'écorce et la neige mouillée. Les festivités du carnaval étaient terminées depuis à peine quelques heures. Demain, on commencerait à défaire, bloc par bloc, le château de glace qui, sans l'ambiance fébrile de l'ivresse collective et les cris de joie des fêtards, prenait dans la solitude blafarde de Québec endormi des allures de manoir écossais.

Vues de ma chambre mansardée, les sculptures de glace avaient l'air de vouloir se mouvoir une ultime fois avant qu'on ne les détruise elles aussi. La paix des lieux me donna envie d'aller faire un tour dehors. Je descendis dans la rue sur la pointe des pieds, comme si je craignais de déranger le sommeil des statues figées.

En marchant, je butai contre une canette de bière vide. Elle roula à grand fracas, la profondeur de la nuit amplifiant le son du métal creux. On eût dit le bruit d'une pelle tombée dans un donjon obscur… Je balayai ces pensées d'un geste brusque et me mis à rire tout bas. Vraiment, les lendemains de carnaval provoquaient chez moi de drôles d'états d'âme.

Le sol était jonché de débris de toutes sortes : bouteilles, canettes, trompettes tordues. Une tuque à pompon gisait près d'un lampadaire, perdue sans doute par un ivrogne occasionnel.

J'aimais marcher seul, la nuit. Je me plaisais à imaginer des histoires de fantômes pacifiques vivant dans les creux des remparts, les fantômes de l'armée de Montcalm qui viendraient au nom du Roy me serrer la pince. Je fabulais allègrement, sans trop me faire peur. Cette nuit-là plus qu'une autre, sans doute à cause de l'aspect fantastique du château trop pâle sous le clair de lune, j'avais l'imagination qui pétillait. J'eus subitement envie d'aller visiter le bâtiment.

Il avait perdu l'éclat des premiers jours, le palais de glace. La ville l'avait sali, les gens l'avaient gratté et piétiné. Néanmoins, sans doute à cause des dispositions mentales dans lesquelles je me trouvais, il gardait un certain mystère, une certaine féerie qui m'attiraient. Il recelait peut-être des trésors magiques, dans les coins sombres de ses couloirs. Ou encore, des êtres imaginaires y avaient peut-être établi leurs quartiers. J'y entrai.

Je déambulais déjà depuis un moment lorsque je crus me rendre compte que le bâtiment était beaucoup plus grand qu'il n'en avait l'air, vu de dehors. Les couloirs me paraissaient tortueux et sans issue et, au bout d'un moment, il me sembla que je ne percevais plus les bruits de l'extérieur. Pourtant, malgré l'espèce d'appréhension confuse qui m'envahissait, je ne cherchais pas à sortir. Je continuais de longer le dédale sombre, attiré par je ne savais quel appel silencieux, de plus en plus lointain. J'avais l'impression de m'enfoncer dans les profondeurs de la terre et je ne pouvais plus m'arrêter.

Soudain, je crus entendre de la musique et des rires venant du fond d'un couloir. Une clarté diffuse m'attirait par là. Je ne saurais dire si j'avançais malgré moi. Je ne crois pas. Je ne pouvais juste pas m'arrêter. Pressant le pas, je débouchai enfin sur une espèce de grande salle dont la blancheur éclatante commença par m'aveugler.

Il régnait dans la pièce un froid intense. Il y avait là quelques dizaines de personnes, toutes masquées, qui dansaient sur un rythme endiablé. Personne ne parlait, les rires que j'avais entendus dans le couloir semblaient provenir de nulle part. Au milieu de tout ce beau monde, le Bonhomme Carnaval lui-même tapait des mains en balançant son gros ventre rond. La musique était plutôt discordante, mais personne ne semblait y faire attention.

Une jeune fille se détacha du groupe et vint à ma rencontre. À travers son masque, je ne voyais que son regard fixe, effrayant de fixité. Elle avait pourtant l'air de sourire. Elle me tendit la main. Sa tête et ses bras, ainsi que sa poitrine, étaient nus et sa chevelure, couverte de givre. Je m'entendis lui dire qu'elle allait prendre froid. Ma voix dans mes oreilles était celle d'un étranger. Les yeux perdus dans ce regard de glace, je la laissai emprisonner mes doigts dans les siens.

Une sensation bizarre m'envahit. Je gelais. Littéralement, je gelais. Je me sentais pénétré par une sorte de courant glacial qui remplaçait peu à peu le sang dans mes veines. Comme un zombie, je suivis la jeune fille jusqu'à un coin de la pièce où elle me servit un verre plein d'une boisson sans odeur ni couleur définies. Je bus d'un trait, pendant que la foule, autour, continuait de danser, danser, danser…

Lorsque la jeune fille m'attira à elle, je fus pris d'un désir si intense que j'en avais mal au ventre. La prendre, là, tout de suite. Ses yeux plantés dans les miens, elle prit possession de ma bouche. Sa langue chercha la mienne, un éclair glacé me transperça et ce fut tout.

Je fus éveillé au petit jour par une conversation.

— Il revient de loin, faisait une voix.

— Il était sûrement ivre-mort, dit une autre voix. Quelle idée, aussi, de boire comme un trou et de s'endormir dehors, en plein mois de février! Les carnavaleux, il y en a vraiment qui ne savent pas s'arrêter.

J'ouvris les yeux et regardai autour de moi. J'étais étendu dans la neige, à la porte du château de glace. Deux hommes me regardaient. Je me dis qu'il devait s'agir de travailleurs engagés par la Ville pour démolir le château. Étourdi, je me demandais ce que je pouvais bien faire là. Les événements de la nuit me revenaient peu à peu à l'esprit. Avais-je rêvé? Mes tempes bourdonnaient comme si je cuvais une cuite monumentale. Pourtant, je n'avais pas bu la veille. Je ne buvais jamais. Ma main droite était crispée sur quelque chose. Je l'ouvris.

C'était une poignée de confettis.

LE STYLO

Sa décision était prise. Il allait faire venir ce salaud à Sable-Rouge afin qu'ils s'expliquent tous les deux une fois pour toutes.

Il était retourné dans son petit village gaspésien quinze ans plus tôt, après avoir remporté un prestigieux prix littéraire qui lui donnait, en plus d'une bourse assez substantielle, tous les espoirs d'une carrière confortable. Il avait loué une modeste maison d'où il pouvait voir à la fois la mer et la montagne : ce paysage l'enchantait et la tranquillité des lieux lui offrait tout le calme nécessaire pour son travail. Les gens du coin raffolaient de ses livres, des histoires d'horreur dont l'action se situait habituellement dans le passé. Au début, bien sûr, on les avait achetés pour voir ce que racontait «le gars à Elphège», mais, dès le quatrième roman, on se bousculait aux portes des librairies. Aimé de ses lecteurs, vivant de sa plume, il eût pu être parfaitement heureux. Mais non. Il y avait un hic.

Oh! Ce n'était pas l'amour qui lui posait problème: il fréquentait une jeune femme intelligente et drôle depuis quelques années déjà. La solitude? Il avait pour colocataire un bon gros chat dont la compagnie lui convenait tout à fait. Alors?

Alors, Jean-Jacques Martel, de son nom de plume Jérémie Hadd, n'avait pour lecteurs que des gens vivant à l'est de Québec. Ces gens-là ne sont pas pires que d'autres, dira-t-on, et l'on aura bien raison. Ce qui rendait notre auteur (appelons-le Jérémie, pour lui faire une fleur) malheureux, ce n'était pas la qualité de ses lecteurs, mais leur nombre. Passé Lévis, il ne vendait presque plus rien sauf des articles pour des magazines, ce qui lui permettait de vivre. Les libraires de Québec écoulaient tant bien que mal le maigre stock qu'ils condescendaient à garder en inventaire et, à Montréal, néant. Il s'était bien demandé ce qui pouvait causer cette pénurie d'acheteurs, mais, pendant longtemps, il ne comprit pas. L'équation était pourtant simple. Ici, les gens comme vous et moi n'achetaient en général que deux sortes de bouquins: les best-sellers et les livres de recettes des Dames Fermières.

«Je n'écris pas des livres de recettes de fermières, s'était dit Jérémie, alors j'écris des bons romans, des romans qu'on aime lire et qui se vendent bien, des best-sellers.» Alors, pourquoi donc les gens d'en haut n'achetaient-ils pas ses livres? Pourtant, quand Stephen King en écrivait un, tout le monde, Gaspésiens et citadins confondus, l'achetait. Bien sûr, il n'était pas Stephen King, il n'était que lui, mais tout de même! Pourquoi ses ventes ne s'étendaient-elles pas à l'ouest de la province? Il enrageait. Il ne pouvait ni acheter sa petite maison, ni faire de projets à long terme. Et plus ça allait, plus son éditeur hésitait à lui faire des avances sur les droits d'auteur à venir.

— Personne n'achète tes livres ailleurs que dans l'est de la province! Oui, ils sont nombreux à les acheter, mais seulement dans l'est. Comment on explique ça à mes patrons?

Merde.

Puis un jour, la clé de l'énigme lui fut révélée. Par hasard, évidemment. Jamais il ne regardait les émissions littéraires à la télévision. D'abord, il trouvait cela d'un ennui! et ensuite il détestait les flagorneries complaisantes auxquelles s'adonnaient obligatoirement les invités. Il ne leur en voulait pas; il savait, pour avoir été lui-même sur le plateau de plusieurs de ces émissions lorsqu'il avait remporté son prix, que c'était la rançon de la gloire, et que personne ne devait en réalité se plaire à faire ce genre de salamalecs à la télévision. Or un jour, une de ses amies lui conseilla de regarder, sur le réseau national, un talk-show culturel intitulé *Par le trou de la serrure*.

— C'est génial, lui confia-t-elle, tu vas adorer! Ils parlent de tout: sculpture, musique, littérature, sport, ils invitent des tas de gens et c'est fait avec humour et intelligence. C'est l'émission la plus branchée de l'heure. Ma copine de Montréal m'a même dit que tous les gens un peu *in* la regardent. Il faudrait au moins que tu voies le chroniqueur littéraire, c'est un as. On raconte qu'il fait la pluie et le beau temps depuis trois ans. Il a commencé à la radio et…

Elle en avait long à dire. Jérémie décida donc de passer outre sa répulsion chronique et alluma, le mardi suivant, son téléviseur. Il s'intéressa beaucoup à toutes les chroniques et rit franchement devant l'horreur feinte du chroniqueur littéraire, un dénommé Cyrille Couture, qui critiquait ce soir-là, et de façon plutôt négative, l'œuvre d'un jeune écrivain de Québec. Cet homme-là était un phénomène : il avait des grimaces vraiment hideuses, une culture impressionnante — il avait tout lu, ma foi — et le verbe acéré comme une lame de Tolède. Jérémie comprit tout de suite pourquoi ce critique «faisait la pluie et le beau temps», comme le lui avait dit Martine. Fasciné, il se prit à regarder l'émission tous les mardis soirs, voire à l'attendre avec une certaine impatience. Il se surprit à juger plus mal les auteurs vilipendés par Couture et à feuilleter, à la librairie, ceux que le critique avait encensés. De toute façon, pensait-il, ils partageaient très souvent la même opinion. Sauf que la façon dont Cyrille Couture émettait la sienne était la plus originale et la plus convaincante qu'il eût jamais connue. Il se délecta ainsi toutes les semaines des élucubrations intellectuelles de Cyrille Couture, le plus souvent en compagnie de sa petite amie, Claudie, qu'il avait convaincue à son tour de l'intérêt de la chose, jusqu'au soir où l'homme parla du roman qu'il venait de publier.

— Jérémie Hadd, minaudait-il, le pseudonyme demeure aussi fade et inintéressant que l'œuvre. Non mais, je vous le demande, comment un homme du XXIᵉ siècle, que l'on suppose intelligent et talentueux — il a remporté le Prix du Commandeur, on se le rappelle —, peut-il se laisser aller à de pareilles inepties? Ce roman est, comme tous les autres, et ainsi que je le répète chaque fois que cet individu en commet un depuis des années, insipide, prétentieux, pédant, inutile, raté…

Et il ponctuait chaque qualificatif d'une mimique grimaçante. L'animatrice de l'émission concluait la chronique en conseillant aux nombreux téléspectateurs :

— Eh bien! Mesdames et messieurs, si l'on en croit le goût infaillible de monsieur Couture, il faut absolument s'abstenir d'acheter ce livre. N'est-ce pas, Cyrille?

— Ma chère, ce roman est un monument de ratage. Il tache honteusement la littérature québécoise. C'est une flaque de graisse. À éviter, comme les cinq autres gaffes livresques de Jérémie Hadd.

Atterré, Jérémie éteignit son poste de télévision et se laissa retomber sur son fauteuil. Ainsi, c'était cela. C'était la chronique de ce pourfendeur qui était la cause de son insuccès. Cela ne pouvait être

autre chose. Claudie le regardait, muette, aussi aba-
sourdie que lui. Elle risqua une main apaisante sur
l'épaule :

— Chéri, ne t'en fais pas. Ce n'est qu'un critique.
Les gens les aiment bien, tes livres.

— Les gens de l'Est, oui ! Ils ne regardent pas
les stupides émissions culturelles du réseau national, eux ! Ils ne sont pas influencés par cet odieux
criticailleur !

— Mais voyons, Jean-Jacques, tu l'aimais bien,
jusqu'à ce soir, ce critique. Il est négatif aujourd'hui,
mais il ne le sera pas nécessairement la prochaine
fois. Ne sois donc pas si buté !

— Claudie ! Tu n'as pas entendu ? Il a dit :
«Comme les autres» ! Ça veut dire qu'il a dit du
mal de tous mes romans, ça ! C'est sa faute si je
ne vends pas de livres ailleurs que dans le Bas-
du-Fleuve ! C'est sa faute si je ne peux pas acheter
ma maison, c'est sa faute si je ne peux pas aller en
Europe ! Maudit critique !

Jérémie resta comme hébété durant plusieurs
jours après cet incident. Puis il se ressaisit. Ça ne
pouvait pas durer comme ça. Il ne pouvait pas se
laisser ainsi matraquer par un vulgaire chroniqueur,
si écouté fût-il — surtout s'il était écouté, en fait —,
et continuer de vendre ses romans, ses bons romans,
seulement dans l'Est, où le maigre bassin de population lui permettait de gagner de quoi vivre à la
seule condition qu'il écrive pour des magazines et

qu'il donne des conférences dans les écoles. Il fallait agir.

C'est ainsi qu'il convia Cyrille Couture à venir, à ses frais, passer une petite fin de semaine chez lui. En véritable pique-assiette qu'il était, le journaliste accepta tout de suite. Il arriva tard le vendredi soir, en annonçant qu'il repartirait très tôt le dimanche matin, parce qu'il était attendu à Montréal pour le lancement d'un auteur à succès le lundi suivant. Jérémie fit les honneurs à son hôte, lui fit faire le tour de son terrain et admirer la vue du balcon. Une chose en particulier attira l'attention du critique: c'était une étrange sculpture qui trônait dans le jardin, juste sous le balcon. À la question un peu dédaigneuse que lui fit Couture, Jérémie répondit en souriant (il avait décidé de demeurer affable):

— Ah! Oui, c'est rigolo, n'est-ce pas? C'est un voisin qui me l'a offerte. C'est un bois de mer qu'il a ramassé et dont la forme lui a suggéré ce stylo qui pointe vers le ciel.

— Vraiment? Oui, bien sûr, avec de l'imagination... *Sky is the limit*, c'est ça?

— Que voulez-vous dire?

— Que cette plume symbolise vos aspirations intimes.

Jérémie eut un sourire. Finalement, ce ne serait peut-être pas si difficile qu'il l'aurait cru.

— En effet, dit-il, sans doute avez-vous raison, monsieur Couture. Cette pointe tournée vers le ciel peut ressembler à mon désir d'atteindre les plus hauts sommets. Mais, malheureusement, permettez-moi de...

Le journaliste ricana.

— Malheureusement, comme vous dites, cette plume, comme votre talent, demeure indéniablement fichée dans la terre grasse et restera définitivement au niveau des vers de terre : elle ne pourra jamais décoller vers nulle part !

Il trouva sa blague tellement drôle qu'il dut s'appuyer les fesses à la balustrade basse pour mieux rigoler.

Jérémie sentit l'air lui manquer, puis une chaleur intense lui irradier les oreilles. Non, mais ! Quel effronté ! Chez lui en plus, sur son propre balcon, l'insulter de la sorte ! Suffoquant de colère, oubliant la promesse qu'il s'était faite de garder son calme quoi que profère le fat, il se jeta sur son invité pour l'étrangler proprement. Mais il avait compté sans la réaction de l'autre, qui accueillit son assaut avec un coup de genoux si bien appliqué à l'abdomen qu'il fut littéralement plié en deux par le choc.

— Tout doux, le pousse-crayon. La vérité choque, hein ? Tu crois que je ne sais pas pourquoi tu m'as invité ici ? Tu voulais m'amadouer pour que je cesse de descendre tes romans ? Mais tu ne m'auras pas. C'est parce que je dis du mal des autres à sa place, et que je le fais bien, que le public m'aime. Je les défoule, tu comprends ? C'est mon boulot. Je suis bien content d'avoir vu la Gaspésie, mais ta vie, mon vieux, j'en ai rien à foutre. Alors si tu veux bien, je vais aller me louer une ch...

— Espèce de trou de cul!

Jérémie, écumant, se ruait sur Couture, qui eut un brusque mouvement de recul pour l'esquiver. Mais l'arrière de ses cuisses rencontra la balustrade et, emporté par son élan, il bascula par-dessus. Jérémie n'eut pas le temps de faire quoi que ce soit pour le retenir. En fait, il avait hésité une microseconde de trop. Comme dans une séquence au ralenti, il vit son ennemi culbuter, flotter un instant, puis retomber bien assis sur la pointe de la plume géante. Il entendit un bruit d'étoffe déchirée et, ahuri, regarda Couture s'enfoncer sur le pal improvisé en émettant un affreux gargouillis et en le fixant de ses yeux exorbités. Enfin, son regard se vitrifia et l'on n'entendit plus rien que les oiseaux qui saluaient la fin de l'après-midi. En réalité, l'événement n'avait pas duré trois secondes. Jérémie s'accouda à la balustrade et observa la scène un moment, ne sachant s'il devait se réjouir ou paniquer. Là, en bas, celui qui avait été le critique le plus destructeur de l'histoire du Québec trônait comme un pantin désarticulé sur son socle. Jérémie eut une moue résignée.

— Ouais, finit-il par diagnostiquer d'une voix neutre. Belle chute...

Puis il rentra pour appeler la Sûreté.

TABLE DES MATIÈRES

amÉrica

LATENDRESSE Maryse, *Quelque chose à l'intérieur*, roman, 2004.

LATENDRESSE Maryse, *Pas de mal à une mouche*, roman, 2009.

LECLERC Michel, *Le Promeneur d'Afrique*, roman, 2006.

LECLERC Michel, *Un été sans histoire*, roman, 2007.

LECLERC Michel, *La Fille du Prado*, roman, 2008.

LECLERC Michel, *Une toute petite mort*, roman, 2009.

LEFEBVRE Michel, *Je suis né en 53… je me souviens*, récit, 2005.

LOCAS Janis, *La Seconde Moitié*, roman, 2005.

MALKA Francis, *Le Jardinier de monsieur Chaos*, roman, 2007.

MALKA Francis, *Le Violoncelliste sourd*, roman, 2008.

MARCOUX Bernard, *Ève ou l'art d'aimer*, roman, 2004.

MARCOUX Bernard, *L'Arrière-petite-fille de madame Bovary*, roman, 2006.

RAIMBAULT Alain, *Roman et Anna*, roman, 2006.

RAIMBAULT Alain, *Confidence à l'aveugle*, roman, 2008.

SÉGUIN Benoit, *La Voix du maître*, roman, 2009.

ST-AMAND Patrick, *L'Amour obscène*, roman, 2003.

TREMBLAY Louis, *Une vie normale*, roman, 2007.

VILLENEUVE Johanne, *Mémoires du chien*, roman, 2002.

GARANT DES FORÊTS
INTACTES

Achevé d'imprimer en février 2010
sur les presses de Marquis Imprimeur,
Montmagny, Québec.